U0440220

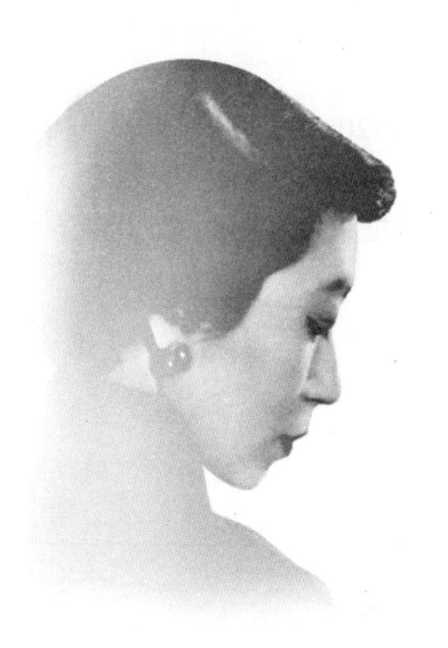

张爱玲传

繁华落尽
冷眼尘埃

翟晓斐●著

華中科技大學出版社
http://www.hustp.com
中国·武汉

图书在版编目(CIP)数据

繁华落尽,冷眼尘埃:张爱玲传 / 翟晓斐 著. — 武汉:
华中科技大学出版社,2014.12(2019.3 重印)

ISBN 978-7-5609-9884-8

Ⅰ.①繁… Ⅱ.翟… Ⅲ.①张爱玲 (1920~1995)-传记 Ⅳ.①K825.6

中国版本图书馆 CIP 数据核字(2014)第 301256 号

繁华落尽,冷眼尘埃:张爱玲传　　翟晓斐 著

责任编辑:刘晓燕
封面设计:刘金峰
责任校对:孙 倩
责任监印:张贵君
出版发行:华中科技大学出版社(中国·武汉)
武昌喻家山 邮编:430074 电话:(027) 81321915 (010) 64155588
印　　刷:北京市艺辉印刷有限公司
开　　本:880mm×1230mm 1/32
印　　张:7.5
字　　数:210 千字
版　　次:2015 年 3 月第 1 版第 1 次印刷 2019 年 3 月第 1 版第 6 次印刷
定　　价:29.80 元

本书若有印装质量问题,请向出版社营销中心调换
全国免费服务热线:400-6679-118 竭诚为您服务

前言

20世纪40年代，上海滩曾有一位传奇的女子，几乎在一夜之间成为当时文坛上最夺目的新星。虽然这颗耀眼的新星，在复杂而多变的乱世如流星般一闪即逝，然而就是那瞬间的璀璨，依然在现代文坛上留下了浓墨重彩的一笔。

这个女子无需踏入世间纷争，那个时代便会主动与她相关。她或许没有倾城之貌，却足以用一种姿态令世人为之着迷。胡兰成曾说，她是民国世界的临水照花人。

她的代表作《传奇》《流言》被人们称为“奇迹”。喜欢的人将其与《红楼梦》、英国作家毛姆的作品相提并论；不喜欢的人，则因她的一段情感经历而漠然视之，但仍旧不得不承认，她的天赋和才情却是无法仿造的“奇迹”。而当她孤身在大洋彼岸的美国如隐士般离开这个世界后，人们缅怀那是一个“王朝”的谢幕……

那个传奇女性的名字就是，张爱玲。

这个名字当初不过是她的母亲为给她报名入学而仓促间起的，却成为她的才情符号，伴随着她绮丽而精致的文笔，历久弥新。

张爱玲，似一个华贵迤逦的民国梦境。也许，很多人并不了解，就是这个被当时文坛称为“奇迹”的女作家，身后还有着非同一般的身世背景：她是清末著名“清流派”代表张佩纶的孙女，前清大臣李鸿章的重外孙女。然而，就是这样一个出自官宦家庭的贵族小姐，却擅长讲述平民甚至小市民的喜怒哀乐，将人性刻画得入木三分。有人曾这样说过，“张爱玲和她笔下的作品恰好站在世界的两端：她自己是挥而不去的寂寥与悲凉，而她的笔下则是凡俗世界的喧哗和琐碎。”

生命辗转，她见识了繁华，也在繁华逝去后的颓唐中独自抚摸孤寂的灵魂；她虽是傲然于世的海上花，却在遇见爱情时，“低到了尘埃里”，卑微地流淌着心底的情感；她享受过世人瞩目的荣耀，也承受着口诛笔伐的孤身债……

她的一生似乎都在被时代和生活推着前行。若当初没有战乱，若当初没有去美国，若晚年落叶归根……她所经历的，都是这些无从选择的题目。

世人在张爱玲的身上给予了太多渲染，津津乐道着她是一个天才女子的“传奇”，而却很少走进她的内心，去感受和探寻她作为一个平凡的女人，所经历和挣扎过的希望和黑暗。

读不透的张爱玲，如同一团谜，一片雾，一段发生于现代中国的人间“传奇”。

人生是一个大舞台，每个人都在上面或真或假地诠释着自己的角色。而张爱玲却让自己多承担了一个角色，她用自己的视角和经历，用手中的笔，向我们一幕幕展示着某一场或者正在进行的某个角色，让我们为之或悲或喜的同时，惊觉其中也有自己的影子。

正如有人说过，读张爱玲，需用灵魂去读灵魂。

那么，让我们一起来读张爱玲吧，一起回望她的生命之旅，聆听她的灵魂独唱。而当我们走进张爱玲的人生传奇中时，相信一定能够触及她最真实的生命状态，听到她内心的灵魂之音……

目录
CONTENTS

第一章　最初的记忆

第二章　沪港纪事

第三章　倾城之恋

第四章　华丽重生

第五章　美利坚故事

第六章　磨难与人生

第七章　迟暮之美

附录：

第一章　最初的记忆

童年，是人一生中最无忧无虑的时光，那里有着无所顾忌的笑容，有着天真烂漫的想法，有家人万般的呵护……于张爱玲而言，童年的记忆味道是复杂的，她习惯了在颠沛和情感缺失的家庭中成长，还没来得及揪住背后那光环的一角，就不得不迈着稚嫩的步伐，开始自己的人生。

黯淡的贵族光环

20 世纪 20 年代，上海，一个繁华之都，对外界的倥偬和阴霾不闻不问。苏州河水清澈地流淌着人们的哀愁和清梦。1920 年 9 月的最后一天，阴历八月十九，一个女婴在上海公共租界的张家公馆诞生。这一晚，月亮很圆。

她的生命，就如同这个季节的意象一般，因丰满而美到极致，却也饱尝凄婉。

这个女婴叫张煐。她的诞生并没有给这个已经开始衰落的封建大家族带来太多的欢乐。父亲张廷重在欣慰于张煐的可爱之后，迅即又陷入对世事的迷茫之中，一遍一遍地叹息着生不逢时的凉薄。父亲的启蒙，成就了张煐，母亲在送她上学时，嫌恶名字嗡嗡不响亮，便给她取名爱玲，让她成了世人熟知的临水照花人——张爱玲。

张家是个地道的大家族，是民国初年一众没落的封建大家族中的一个。曾祖父张印塘，字雨樵，是“丰润张氏”（丰润，即河北丰润县，张家祖籍地）第一个做官的人，咸丰年间，曾任安徽按察使。张印塘是个极为清廉、耿直的好官。

祖父张佩纶，字幼樵，一字绳庵，又字篑斋，直隶（今河北省）丰润人，晚清官场少有的清流人物，与张之洞、陈宝琛等同为清流主将。年少时，张佩纶才思敏捷，数千字文章一挥而就。光绪元年大考翰詹，张佩纶高居二等第三。中法战争初起，张佩纶主战，受命三品卿衔会办福建海疆事宜。清军战败，张佩纶被褫职遣戍，再次做了李鸿章的高级门客。八国联军侵占北京后，因在对待俄国的态度上不一致，张佩纶与李鸿章分道扬镳，居于南京，不再过问时事。三年后，张佩纶带着满腹经纶和对国家与民族现状的怅惘驾鹤西行。此前一年，李鸿章先他而去。

1888 年，因中法战争战败被贬重新做回李鸿章门客那一年，李鸿章将长女李菊耦嫁予张佩纶，李菊耦成为张佩纶的第三任妻子。李菊耦，大家闺秀，娴雅女子，善做文章。婚后，二人香茗互赠，题咏互乐，情深义重，简直就是佳偶天成。为此，张佩纶在日记中写道，“以家酿与菊耦小酌，月影清圆，花香摇曳，酒亦微醺矣”。甚至，李鸿章特地为他们的书斋题名为“兰骈馆”。祖父母是如此地伉俪情深，可孙女张爱玲却难得相伴白首人。

父亲张廷重生于张家繁盛时期。父母恩爱，家产富庶，使得张廷重自小锦衣玉食，沐浴着父亲母顺的和谐家风，饱读诗书，博闻强记，聪颖过人。可惜，张廷重 7 岁时，父亲去世，家道中落。那一年是 1903 年，清王朝正处于风雨飘摇中。封建王朝的衰败，同时也带走了张廷重科举中第的满腔希望。

李菊耦这位世家小姐在与张佩纶的短暂婚姻中品尝了幸福。丈夫去世后便立志要把张廷重培养成才，继承丈夫平生没有得以实现的抱负。但李菊耦给儿子、女儿的自由是失衡的。张家老女仆回忆说：“老太太总是给三爷（注：张佩纶发妻朱氏生有两子）穿得花红柳绿的，满帮的花鞋——那时候不兴这些了，穿不出去了。三爷走到二门上，偷偷地脱了鞋换上袖子里塞着的一双。”

她即便要把他装扮成一个出不得门、见不得人的腼腆女儿相，也总是惴惴地提防着他别败坏了辉煌的张家声望。于是，他很内秀，很腼腆，一副破败的富贵人家的纨绔子弟之相，但却很有才华。他终日背手踱步，绕室吟哦，满腹的学问，满腔的愤懑，时而拿起四书五经，时而心情极好时招来张煐点拨一二。后来，经历生活种种不顺，所学无从施展，张廷重便沉迷于鸦片中。家道沉沦已是避无可避。

张家这个封建大家族能够得以支撑而延续，无不得益于祖母李菊耦的父亲——李鸿章的鼎力相助。李鸿章和张印塘曾在合肥、巢湖一带并肩作战，意气甚为相投，二人结为至交。于是，祖父的官爵和俸禄皆来自李鸿章的赏识与恩赐。出阁前祖母居于“小姐楼”。为了爱女，李中堂慷慨相助，殷实富足的嫁妆足够当时的中产阶级子子孙孙享用数辈。数量惊人的房产、田地与古董保住了祖母的一辈子和父亲张廷重的前半生不被生活所累。

张爱玲出生的地方，是坐落在上海公共租界的张家公馆，这是当年李鸿章送给爱女的陪嫁。这座建筑采用了当时最流行的西洋风格，四面是房间，中间有一个宽阔的天井，朝内一面有连廊可以通行。这幢房子存留了张爱玲的两段时光——灿烂的童年与苦涩的青春。稚女的笑声与少女的泪水在这幢豪宅里交融着，是一体，又不是一体。

张爱玲的母亲黄素琼亦是名门千金。黄素琼的祖父黄翼升，是清末长江七省水师提督，李鸿章初建淮军卄赴上海时，黄翼升率五千水师受其统辖，为其副手。同治四年，黄翼升因阻拦东捻向西突围有功，被封为男爵。南京莫愁路上的朱状元巷 14 号（明代时本为朱状元府的一部分），因黄家入住更名为军门提督府。黄翼升的次子，也就是黄素琼的父亲黄宗炎，早年中举，后捐了道台，承袭爵位后赴广西出任盐道。黄宗炎赴任广西之前，买了一个长沙农家女纳为妾室，后来产下遗腹子龙凤胎，女孩就是黄素琼。1922 年，黄宗炎的大夫人辞世，黄素琼与孪生胞弟黄定柱分了祖上财产。后来，黄素琼每次游学欧洲的费用均来自于此次财产分割得来的古董。

张黄两大家族的联姻，一时传为佳话。强强联合的婚姻，带来了财产的丰腴富足的同时，也带来了思想的碰撞。黄素琼虽然出身传统官宦世家，思想却受到了清末民主自由气氛的熏染而极为开化，她不甘于长年深闺宅院里传统的生活方式，而渴望能与一个同样思想开阔、崇尚民主自由的男子共建新式家庭。遗憾的是，张廷重并不是这样的人。尽管他和妻子一样也谙熟且欣赏西洋文明思想，但他却无法接受西洋文明思想所崇尚的自由与平等，内心里男尊女卑、臣为君死的刻板思想仍旧根深蒂固。

张爱玲出生时，恰逢“五四运动”所倡导的自由和民主广为传播之时，人们不再坐井观天。黄素琼勇敢地一脚迈入领导风潮之列，与徐悲鸿、蒋碧微等一众朋友大踏步地开辟着“五四”青年中国的新潮风尚。她是那样地不管不顾，那样地意气风发。似乎只有这样，才能让自己暂时忘记束缚自己的丈夫，摆脱让自己窒息的封建文化。

而对于父母间的格格不入，张爱玲在《对照记》里毫不讳言地说：“他们（指父亲、母亲和姑姑）的思想都受‘五四’的影响，就连我父亲的保守性也是有选择性的，以维护他个人最切身的权益为限。”弟弟张子静在回忆录中也坦白：“我父亲虽也以新派人物自居，观念上却还是传统的成分多。”

说得如此透彻。国家与社会的巨变迎合了母亲的诉求，违背了父亲的意愿，造成了不可调和的矛盾。他们终于像蒲公英的种子与枝干一样，在风中不可逆转地分开了，不再复合。母亲的离去让张爱玲与弟弟张子静孤苦无依，浮萍般随波逐流。

大家族的荣辱盛衰就这样毫无预兆地来也匆匆，去也匆匆。李中堂的慷慨解囊与黄翼升的遗产终究没有阻挡住张家的一再破败。“五四”中国的清新风气也最终吹散了这个腐朽大家族的晦重之气。

这样的簪缨世家，成年后的张爱玲并不愿提及。倘若有人问起，她也总是含糊其词。家族的没落与阴影，让她总是下意识地远离那些象征权势与地位的精英主流，而独自偏居一隅。

然而在张爱玲的内心深处，家族是有分量的。晚年的张爱玲曾说过这样一段动情的话："我没赶上看见他们，所以跟他们的关系仅只是属于彼此，一种沉默的无条件地支持，看似无用、无效，却是我最需要的。他们只静静地淌在我的血液里，等我死的时候再死一次。我爱他们。"这应该算是一种情感上的和解了吧。

血缘，就是这样，荣辱都在一起。

金 童 玉 女

1915 年，张廷重与黄素琼成婚时，同为 19 岁，是人们眼中一对人见人羡的金童玉女。他们是那样地般配：男的俊美而富有才华，女的小巧秀丽而才情俱佳。张家因为有李中堂的缘故，威望不言而喻，而黄家也因为老爷子黄翼升而远非寻常人家可比。更值得一提的是，这段姻缘还符合了古人对于美好姻缘的世俗定义——亲上加亲。张廷重是李鸿章的亲外孙，黄素琼是李鸿章的远房外孙女。

这样的婚姻是多么令人艳羡！

由于张廷重的父亲比母亲大出许多，父亲张佩纶在他 7 岁时就去世了。母亲李菊耦恪守家风，对孩子的管教颇为严厉。她常手持戒尺，督促张廷重背书，背不出来就责打、罚跪。张廷重熟读四书五经，熏陶于封建沉闷的书卷之中，满腹才气。而与此同时，男尊女卑的封建思想也深深地嵌入这个前朝遗少的头脑中。

后来，黄素琼离开他，远赴重洋。张廷重则以诵文读诗为生活的主要内容。对此，张爱玲回忆："父亲一辈子绕室吟哦，背诵如流，滔滔不绝，一气到底。末了拖长腔，一唱三叹地作结，沉默着走了没一两丈远，又开始背另一篇。听不出是古文、时文还是奏折，但是似乎没有重复的。别人听着也觉心酸，因为毫无用处。"

张佩纶倡导洋务运动，因此张家也是讲求洋务最早的世家。李菊耦在张廷重年少时，聘请了英文家庭教师，以致后来，张廷重竟可以凭借这项技能谋得津浦铁路局的英文秘书一职。然而，张廷重竟是那样地与时代格格不入。一方面，清王朝已近颓然倒塌，“中华民国”已经蓬勃新生，“五四运动”给国人和社会都注入了清新的西化之风，一阵紧似一阵吹拂着中华大地，张廷重这样一个前朝遗少却固守着大清王朝腐朽的封建思想，不愿前进一步。另一方面，半封建半殖民地的中国社会已经成形，人们的生活困苦难耐，而张廷重不仅能锦衣玉食（即使张佩纶去世，但仍有大量遗产可依赖），竟还可以修习英文。这是怎样一个风流倜傥的翩翩少年啊！

黄素琼出身传统官宦世家。黄家祖上明朝时从广东迁至湖南，有南洋混合血统，家族女子皮肤多数不太白，头发也不太黑，深目高鼻，长相与拉丁民族类似。这些基因中的特征造就了黄素琼的美丽敏感与超越男人的理性。

这样一对才子佳人的婚姻必然会得到人们的祝福，因着他们自身的美丽与才情，更因着他们背后的家族。

然而，没有缘分的人即便被捏合在一起，终究也是要分开的。

他们的不般配是骨子里的。

黄素琼是那个时代的新潮女性，思想开化，不愿意将自己局限于厚重的封建思潮中，敏感而积极地捕捉着从罅隙中漏进来的西化风，时刻准备着飞出去，然后以一种决绝的姿态在蓝天翱翔，不再回望，不再返归。

冬去春来，黄素琼为张家诞下儿女一双，完成使命。西风已甚，西去已成时髦。徐悲鸿、蒋碧微们已经来到了欧洲大地，文艺复兴的洪流正在做着一件足以深刻影响现代中国的事情——孜孜不倦地、不遗余力地感染和教化着来自东方的文艺才子和佳人们。黄素琼正是那一个蠢蠢欲动的因子，正在等待着为她准备的契机。

婚后的生活因时代的死寂而沉寂。没有了科举考试，张廷重满腹的四书五经失去了用武之地，终日慨叹生不逢时。无处宣泄的他，最终也只得在吟诵四书五经时获得一些精神的慰藉。也许，黄素琼对此还是可以忍受的，她可以将心思花在学习钢琴和修习英文上，也可以用心去裁剪衣服、打扮自己。

如此，你有你的事情，我有我的事情，倒也勉强维持一个完整的家庭。然而，渐渐地，张廷重开始将无处安放的灵魂寄寓于袅袅的鸦片烟雾和从朝至夕的温柔异乡。烟土的厉害，不仅在于能够迅速吞噬掉万贯家财，更在于它能瞬间使一个充满朝气的家庭变成病怏怏的暮光之城。再加上沉醉于温柔乡，张廷重将自己和家庭都拖进了万劫不复的深渊中。黄素琼苦口婆心地规劝，张廷重依然我行我素，不为所动。

一切的一切开始变得愈发无法忍受。

机会终于来了。1924 年，小姑子张茂渊要出国留学。由于同样憎恶张廷重的自甘堕落，黄素琼与张茂渊这对姑嫂倒相处得颇为融洽。于是，张茂渊尚年幼需有人照顾便成了黄素琼一同前往的绝佳借口。毅然决然地，黄素琼抛下了 4 岁的张爱玲和 3 岁的张子静，离开了浮华奢靡、死气沉沉的张家大院，与张茂渊一同远赴重洋。而她只随身携带了一些仅仅可以满足游学自费的家产。

这下，张廷重真地着急了。他是爱黄素琼的，于是他辗转托人，告诉她自己要戒除鸦片，并且不再纳妾。而黄素琼对他也是有感情的，更何况还有那一对惹人疼爱的儿女。于是，怀着对破镜重圆的美好憧憬，和对孩子们的牵挂，黄素琼又回到了上海。

然而，美好的愿望总是被残酷的现实击败。他赶走了所谓的姨太太，也暂时戒除了那可恶的鸦片烟。然而，短暂的游学经历所带给黄素琼的西洋现代文明的生活方式和思想方式，在触及依旧顽固如初的封建礼教时，冲突和矛盾便不可避免地爆发，且愈演愈烈。

张子静后来回忆说："我父亲虽以新派人物自居，观念上还是传统的成分多。这就和我母亲有了矛盾和对立。"

懦弱的张廷重又钻入了袅袅鸦片营造的海市蜃楼里，不能自拔。这一次，黄素琼是真地狠下心来了，湖南人骨子里的坚决帮助她做出了最终的决定——离婚。

张廷重是懂得黄素琼的。他明白，已经无可挽回了。他一度试着故意逼迫黄素琼将钱财拿出来维持生计，借以磨耗掉她出去的资本。然而，到头来，他还是错了。他的小聪明，只能换来黄素琼对其更加地深恶痛绝。面对黄素琼请来的外国律师，张廷重一遍一遍地拿起笔，又一遍一遍地把笔放回桌面。见此情景，外国律师亦不免动容，轻声询问黄素琼是否要改变心意。此时，那来自基因里的理性与决绝让她平静、和缓地说出了那句让张廷重涕泪横流、无以回复的话——“我的心意已经像一块木头!”

是啊，木头，怎能再有情。

一切已无法挽回。

张爱玲和弟弟归由父亲抚养，但张爱玲日后的教育问题——要进什么学校——都需先征求母亲的同意，教育费用由父亲负担。张爱玲与张子静可以经常探望母亲。

对于张爱玲来说，父亲与母亲的婚姻是一本反面教材。这不仅是因为父母这一对本应该是幸福的金童玉女，却最终如是与非、黑与白一般不可调和，也是因为父母在封建包办婚姻下的努力终归化于无形，更是因为父母真实的情感敌不过两股不可调和的文明和思想强大的离心之力。

自此，张爱玲的世界一分为二，二生多元。但是，父母于她，从未远离，他们静静地流淌在她的血液里，或许只有等到她死的时候才会再次死去。

无论如何，她爱他们；无论到什么时候，他们都是她永远的金童玉女。

第一个家在天津

1923年到1928年，张爱玲在天津生活了6年。她曾自述，第一个家在天津。

关于张爱玲童年在天津的故居，有三种说法。一说是张爱玲在《私语》中提及的32号路61号；另一说是张子静的记忆，在英租界31号路61号；还有一说是在法租界32号路61号，张学良少帅府的斜对面。猜想来，如果张爱玲还在的话，一定会明确说一说的。因为，法租界32号路61号是李鸿章的产业。究竟，张家是占了李中堂很大便宜的。

这些都是天津的好地方，如今是和平区的核心地段，繁华、热闹。然而，外面世界的喧哗和繁闹终究无法改变里面人们的生活轨迹。

张廷重想要一种稳定的生活，物质要丰富而轻松，精神却要传统而不变。这些都是同在上海的二哥张志潜无法给予他的。张志潜让张廷重感受到了太多约束，以至于在分割财产时，张志潜也占尽了便宜。因此，对于张廷重来说，天津是个好地方。

对于张廷重来说，来到天津，是又一次沾了祖上的光。他的一个堂兄张志潭——张佩纶弟弟张佩续的儿子——时任北洋政府交通部总长。于是，顺理成章地，张廷重谋得了津浦铁路局的英文秘书一职，获得了稳定的也足够丰沛的收入。于是，在得到了诸方关照，住进了辉煌的祖屋后，张廷重开始了典型的清朝遗少生活，偶尔履行英文秘书职责之余，将抽大烟、出入花街柳巷、与朋友吃喝玩乐当作了生活的主要内容。

尽管如此，在张爱玲的记忆里，天津是第一个家。它意味着温暖、活泼，也意味着最初的关于家庭和家人的所有美好和不美好的记忆。

好在，关于母亲的记忆总是那么温暖。每天清晨，当半缕阳光从窗户中斜斜地透进时，何干（专门带张爱玲的保姆）就会将她抱起来，送到母亲温暖的怀抱里。嗅着母亲甜甜的乳香，她该是何等幸福。伸出小手摸一摸母亲的脸颊和乳房，感受着母亲平和的呼气，调皮地掀起母亲惺忪的睡眼，在母亲假装愠怒时倏地钻进温暖的被窝，紧紧地贴着母亲的柔软身体，与母亲嬉笑打闹一番。

再然后，她便爬在方格子青锦被上不知所云地背诵唐诗。下午，倘若能认得并记住两个生字，还能换来两块绿豆糕。这些对于4岁的孩子来说，恐怕是最好不过的快乐启蒙教育了。母亲的重女轻男恰到好处地为张爱玲开启了智慧的大门。母亲固执地认为男孩是张家的人，未来是可以继承张家的祖业的，因此，相比之下，母亲对张子静的教育并不上心。

随着张爱玲一家搬到天津的还有一些下人们。这些下人也给张爱玲的童年生活增添了很多色彩。

家里的庭院里有一个大大的秋千架，每当闲暇时，一个额头上有块疤的高个子丫鬟就会抱起张爱玲把她放在秋千架上，再轻轻地将她推起，任由她荡开来。花香伴着笑声，那时的张爱玲每天都很快乐，无忧无虑。这时，丫鬟们就会高兴得拍起手，一边笑一边逗张爱玲说些小女儿话。直到多年后，张爱玲还能清楚地记得，那个额头上有块疤的高个子丫鬟被她唤作“疤丫丫”。

有一个男用人被张爱玲唤作“毛物”。他个子不高，模样清秀，酷爱写字，还很喜欢讲《三国演义》。“毛物”是一个“粗通文墨但胸有大志的男用人”。天井一角架着一个青石砧，闲来无事，“毛物”就会用毛笔蘸水在青石砧上写一些古诗词。这对于早慧的张爱玲来说，无疑有着莫大的吸引力。

于是，张爱玲给他起名叫“毛物”。“毛物”也很喜欢她，常常给她讲《三国演义》里的故事。而每每这时，张爱玲必定会瞪起溜圆的小眼睛，专注地听，全然不顾“毛物”的唾沫横飞。“毛物”后来娶妻，妻子被张爱玲唤作“毛物新娘子”，后来又被她简称为“毛娘”。颇有几分姿色的“毛娘”有着水汪汪的大眼睛和红扑扑的鹅蛋脸，也喜欢给张爱玲讲孟丽君女扮男装中状元的故事。

但下人们对于她的喜爱是有分寸的。这种分寸带给了童年的张爱玲小小的不愉快，也成了她后来挥之不去的阴影。弟弟张子静是个男孩，自然会享有比张爱玲更优越的物质待遇。有了好吃的，下人们总是先拿给弟弟吃，也会给弟弟多分出一些来。带弟弟的保姆叫张干，因为带的是男孩的缘故，总是能趾高气扬地凌驾于何干之上。何干也“因为自己带的是个女孩，总是自觉心虚，凡事都让着”张干。

对于张干的趾高气扬，张爱玲是看不惯的，所以她也总想着要斗一斗张干。终于有一次，张干这个下人被她惹急了，恶狠狠地说：“你这个脾气只好住独家村了！希望你将来嫁得远远的——弟弟也不要你回来！”话毕，似乎还不解气，张干找着了证据一般地指着张爱玲拿着筷子的手指，一脸严肃地说：“筷子抓得远，嫁得远。”

“哪抓得远呢?”张爱玲忙把手指移到筷子上端。

“抓得远当然嫁得更远了。”

顿时，小小的张爱玲被气得说不出话来。

张干带给童年张爱玲的小小不愉快，还有另一件事。一次，张干买了个柿子（天津人称西红柿为柿子）回来，因为太生，所以就放在了抽屉里。张爱玲发现后，就隔两天去看一下。终于，柿子红透了，但张干还是没有拿出来，想来是忘了。可是，小小的自尊心却让张爱玲始终没有说出来，直到柿子烂了，成了一泡水。

好在，小小的张爱玲还总有着自己的乐趣。

张爱玲很享受夏日中午的时光。她常常穿着白底小红桃短衫、大红裤子，搬上小板凳放在阴凉的院中坐着，喝着满满一小碗去暑的淡绿色的六一散，津津有味地翻看谜语书。

镜子前，张爱玲静静地立着，仰起小脸，看着母亲对镜照花黄，在绿短袄上别上翡翠胸针，心里泛起小小的涟漪，羡慕万分，于是便盘算着以后也要像母亲一样打扮自己——“8 岁我要梳爱司头，10 岁我要穿高跟鞋”。

幸福的日子总是那么短暂，不知什么时候就结束了。就像小狗，刚刚还含着妈妈的乳头甜甜地睡着，不知什么时候妈妈就起身离开了，似乎永远也回不来了，只留下那一只只的小狗闭着眼睛抬着头细细地叫着，唤着妈妈快回来。

黄素琼终于忍受不了张廷重，与张茂渊一同乘船出洋了。“我母亲和我姑姑一同出洋去，上船的那天她伏在竹床上痛哭，绿衣绿裙上面钉有抽搐发光的小片子。用人几次来催说已经到了时候了，她像是没听见，他们不敢开口了，把我推上前去，叫我说：‘婶婶，时候不早了。’（我算是过继给另一房的，所以称叔叔婶婶。）她不理我，只是哭。”留在张爱玲记忆中的，是母亲伤心痛哭的样子。母亲终究还是在改掉自己的名字后（黄素琼为了摆脱旧生活，迎接新文艺的生活给自己改了名字叫黄逸梵），毅然离开了，也带走了年幼的张爱玲与张子静对母亲的无限依恋。

也许对于年幼的孩子来说，无论多么大的悲伤都是有办法安抚和弥补的。

父亲在外纳的小妾没有耽搁地进门了。小妾的陪嫁不少，进门后便开始重新布置起这个家来。张爱玲叫她“姨太太”。或许是因为张子静以后要继承家产，这位姨太太反倒很抬举张爱玲，每天晚上都带她去“起士林”看跳舞。坐在桌边，张爱玲见到“面前的蛋糕上的白奶油高齐眉毛”惊讶极了，却能把一整块蛋糕全吃了。

姨太太很会哄她高兴，还特意为她做了一套雪青丝绒的短袄和长裙，趁机问：“看我待你多好！你母亲给你们做衣服，总是拿旧布料东拼西改，哪儿舍得用整幅的丝绒？你喜欢我还是喜欢你母亲？”小孩子哪能抵得过这种诱惑。于是，张爱玲不假思索地说：“喜欢你。”这件事让成年后的张爱玲仍感到“耿耿于心”。

只是，这样的人终究是融入不到张家的。终于，姨太太在一次用痰盂将张廷重的头砸破后被张家族人赶出了家门。走的时候，用人们都拍手称快：“这下子好了！”

天津的生活在张爱玲8岁时戛然而止，连预兆都没有，她注定将要继续她的搬家生涯。

回首32号路61号的庭院深深，“商女不知亡国恨，隔江犹唱后庭花”的诗句背诵声似又传了出来，只是唱出的大大的快乐变成了小小的微不足道的快乐，并且已经被大大的悲伤笼罩住了。来的时候，有母亲；走的时候，母亲不在身边，难怪张爱玲日后极少提及天津这一段生活，想来是脑海深处关于天津的记忆太过悲苦吧。

母亲的远走与归来

她是一个充满感情的人。她的走是那样决绝，她的留又是那样柔情似水。

她是一个出生在湖南长沙的女子，父亲的基因给了她优雅与才情，生于乡下的母亲基因里的泼辣与果断也被她毫无保留地继承了下来。于是，她是一个有着男人性格的女人，温婉而又果断、凌厉。

在谈及对母亲的印象时，张爱玲的话语间透露着无可奈何——“我一直是用一种罗曼蒂克的爱来爱着我的母亲的。她是个美丽敏感的女人，而且我很少有机会和她接触，我 4 岁的时候她就出洋去了，几次来了又走了。在孩子的眼里她是辽远而神秘的。”

母亲的美丽是众人皆知的，面容清秀，桃似的脸庞配上圆圆的眼睛、挺挺的鼻梁与尖尖的下巴，宛若天人。尤其眼神里透出的不甘平庸，更让这个美丽的女子多了几分英气。而张廷重却不然，胸怀大志是那个时代的平常男子万难拥有的，他也是如此，眼神里尽是浑浊的混世之气，几无生机。

母亲出生时，其父已然归西。因为同胞弟弟黄定柱，她也得到了爷爷黄翼升的疼爱；也正因为同胞弟弟，长辈们反倒没有给作为女孩的黄素琼太多拘束，成就了她对中西文化的熟悉与接纳；更因此让她早早地感受到了女人与男人的不同，造就了她男女平等思想的形成。而这些也或多或少地遗传给了她的女儿张爱玲。在这个意义上说，黄素琼从来没有离开过张爱玲，即便她施予张爱玲的爱是罗曼蒂克式的，即便她后来选择离去时是那样的决绝。

她就是这样一个现代女性。她无法容忍丈夫的背叛，也无法容忍丈夫终日沉迷于鸦片，一如她一辈子都厌恶自己的小脚。所幸，小姑子倒与她有几分相似。同样美丽，同样倔强，同样接受西化思想，同样崇尚自由与民主，尤其是她们同样痛恨张廷重的迂腐和无可救药。于是，两人的默契在 1924 年张爱玲进入私塾学习后达成了高度一致，她俩相伴出洋了。那一年，她 28 岁，被后人誉为中国的第一代“娜拉”。

这一次，她俩去了当时最发达的工业国家——英国，之后又去了法国。20 世纪 20 年代的英国和法国，有着当时世界上最先进的工业文明，也有着当时世界上最旺盛的现代文明。在那里，黄素琼迫不及待地撇下封建腐朽的印迹，很快就融入到了现代文明社会中。甚至，她将被束缚过的小脚塞入定制的高跟鞋中，迅速演变成了欧洲现代贵妇人。她学会了说英语，去阿尔卑斯山滑雪，报读美术学院，学会了油画和雕塑，她还结识了一位外籍男朋友。

那几年，她一定是快乐的，因为她终于摆脱了腐朽的丈夫和枯燥、无味的生活，她如愿以偿地过上了向往的现代生活，享受到了自由和男女平等。然而，黄素琼的心里一定有某一个角落是不踏实的。

1928 年，因为丢掉了津浦铁路局的铁饭碗，张廷重带着一家人从天津返回上海。他要等着他的爱妻和妹妹回来，然后一家人重新在一起好好生活。历经劫难，他发现自己还是爱着她的。于是，他答应了黄素琼的要求，承诺戒烟，不纳妾。而黄素琼的心里对他肯定还有感情，还抱有希望。她给了他一个机会，也给自己和孩子们一个机会。

于是，她回来了。一同回来的，除了对他的和对孩子们的柔情之外，还有她的欧洲游学经历和对西方现代文明的耳濡目染。当然，她的回来还有另一层意思，没有明说——“有些事等你大了自然就明白了。我这次回来是跟你父亲讲好的，我回来不过是替他管家”。因为她是穿着美丽的法国洋服回来的。她一见到张爱玲就毫不留情地指出：“怎么给她穿这样小的衣服?”不久，她就给张爱玲做了新的衣服。

母亲的归来让张爱玲和弟弟又感受到了久违的快乐，尤其是张爱玲。再加上父亲的病也基本痊愈了，家里又重现了昔日的温馨和欢乐。他们从石窟门房子搬到了一处花园洋房里，有树和花，也有狗，还有张爱玲十分喜欢的故事书。

所有这些，都让8岁的张爱玲和7岁的弟弟感到无比开心。那时，张爱玲很喜欢躲在一角看着母亲与一个胖伯母并坐在钢琴凳上模仿着一出电影里的情节表演恋爱，然后双双大笑、打滚。她甚至曾兴奋地给天津的一个玩伴写信，讲述自己的新居室、新生活，满满的三页纸，还画了图样。

而这时的张爱玲也能够与母亲有着一样的感受了。她会靠在门框上，听母亲坐在抽水马桶上读老舍的《二马》，听到二马父子因为文化差异闹滑稽时，开心地应和着母亲笑。这样的笑是灿烂无邪的，是烙在心底的，是单纯的、属于母女间的笑。即使后来张爱玲确实是怨恨母亲的，但也从未忘却这段快乐的时光。后来一读起《二马》，张爱玲便能想起这段与母亲相处的温情岁月。

然而，母亲归来所带来的快乐时光很快就消失了。父亲要起了小手段，逼迫母亲拿出私房钱以供家用，希望以此迫使母亲不再离开家。于是，争吵不可避免，而父亲的意志也再次被现实击溃，又归入了鸦片的怀抱。

本来黄素琼回国是要挽救婚姻的，但是丈夫的不思进取让她内心深处的另一个自我就像预想好的一样，适时地蹦了出来。

离婚是平静的，没有很大的冲突。

张爱玲与弟弟归父亲抚养。但是协议中特别指出，张爱玲日后的教育——要进什么学校——都需先征求母亲的同意。于是，虽然母亲从父亲的家中搬走了，却也保留了对张爱玲教育问题的强势影响。协议里还有一条给张爱玲留下了一扇寻找温情的门——可以常去看望母亲。母亲那里有一起搬离的姑姑。也许就是因为有这样的条款，张爱玲后来回忆说：“即使她没问我，我也会同意的。”

不管怎样，母亲对张爱玲是有期望的。她希望自己的女儿能够实现自己没能实现的，成就自己无法成就的。她似乎只能接受一个够得上淑女标准的女儿，给张爱玲两年的时间“适应环境”。于是，张爱玲开始学习“煮饭、用肥皂粉洗衣”，还要“练习行路的姿势、看人眼色、点灯后记得拉上窗帘、照镜子研究面部神态”，还被告知“如果没有幽默天赋，千万别说笑话”。诸多的不满意如同嵌在眼睛里的沙子，非得洗干净才舒服。于是，黄素琼苛求着张爱玲，希望她一定要做好洋式淑女。

然而，五六年的疏离，加上小妾的曲意讨好早已让张爱玲把先前习得的那一点点淑女模样忘在了脑后。虽然她使出浑身解数，一遍又一遍地努力学习着，但潇洒散漫的童年早已在她的生活里根深蒂固，她仍旧无拘无束。她的学习过程表现出了“惊人的愚笨”，于是，母亲失望了。

这种失望和不满会在某个时间点迸发，母亲会恶狠狠地抛出这样的话——“我宁愿看你死，也不愿看你活着使你自己处处受痛苦”。母亲太希望她能成为自己希望的那个独立、自由、有成就的女子了。只是，这种期望和要求让尚未成年的张爱玲太痛苦了，她甚至会一次又一次地想到，“我不该拖累了她们（指母亲和姑姑）”，觉得自己“赤裸裸地站在天底下了，被裁判着像一切惶惑的未成年的人，困于过度的自夸与自鄙”。她甚至想过要跳楼，让地面重重地摔自己一个嘴巴子。母亲忘了，张爱玲也是敏感的、有自尊的，一如自己一样。

母亲带给张爱玲的欢乐终于被这日复一日的淑女训练折磨殆尽，留下的是她对母亲至死不愿面对的怨恨。

弥留之际，孤身在海外的黄素琼长信一封，希望张爱玲前去相见。彼时的爱玲也确实自顾不暇。终究，这一对母女没有相见。

其实，张爱玲不见得懂得母亲对自由的追求，而母亲也不见得懂得张爱玲对温情的向往。

相爱极深的人，也相互极深地伤着对方。

“世界被强行分成两半”

1930 年，母亲像拐卖人口一样将张爱玲带去了黄氏小学。报名时，因为觉得“张煐”这个名字不响亮，黄素琼便给改成了“爱玲”。真是造化弄人，这样的哀伤之举竟然成就了中国文坛一代大家张爱玲。顶着这样一个名字，张爱玲本人并不满意，但终究是应承了下来，因为“我愿意保留我的俗不可耐的名字，向我自己作为一种警告，设法除去一般知书识字的人咬文嚼字的积习，从柴米油盐、肥皂、水与太阳之中去找寻实际的人生”。

因为天资聪颖，且已有知识基础，一入学，10 岁的张爱玲就入了六年级插班。

进了黄氏小学，张爱玲没有放弃学习钢琴。为了培养张爱玲成为音乐家，黄素琼还将她送去了一个白俄罗斯老太太家里专门学琴。1931 年，张爱玲顺利从黄氏小学毕业，进入圣玛利亚女校学习。

如歌的日子里，按照黄素琼的安排，张爱玲一步一步迈向成为欧式现代淑女的目标。

幸福，让人晕眩。

黄素琼与张廷重协议离婚了。

在张爱玲的面前，世界是黑白分明了……

内心里藏着的那个一直不愿示人的自我释放的那一刻，便是母亲要离开了。这次是要长久地离开了。黄素琼的离开对于张爱玲来说，感情上是无法接受的。临别时，黄素琼去圣玛利亚女校看张爱玲。那天的情景深刻地印在张爱玲的脑海里，一辈子也无法忘却，甚至每个细节都那么清楚。

她来看我，我没有任何惜别的表示，她也像是很高兴，事情可以这样光滑无痕迹地度过，一点麻烦也没有，可是我知道她在那里想："下一代的人，心真狠呀！"直等她出了校门，我在校园里隔着高大的松杉远远望着那关闭了的红铁门，还是漠然，但渐渐地觉到这种情形下眼泪的需要，于是眼泪来了，在寒风中大声抽噎着，哭给自己看。

那一刻，母亲是那么陌生，青春期的少女本来就敏感而多思，虽然按照母亲的要求，走西欧式的淑女路线是痛苦的，自己也怨恨过母亲，甚至也知道母亲与父亲的婚姻终归是保不住的，但是小小少女的心思啊，该有多么细腻，她不愿母亲离开自己。她甚至能预料到，这一次母亲的离开是永久的。

张爱玲在心里也是怨恨父亲的。张爱玲后来曾这样评说："最可厌的人，如果你细加研究，结果总发现他不过是个可怜的人。"所以，在与母亲的离开比较，张爱玲还是轻易地原谅了他。因为她从未对他抱有太多的期待。而于母亲则不同，她曾是那么崇拜她、艳羡她，以母亲为自己的榜样。如今，她的离去让她的大厦倾了，失去了慰藉，她内心的苦楚和痛又无处诉说，这成了一辈子的痛。所以，她恨了母亲一辈子，至死也不愿去看她。

父亲与母亲的分离，无疑在年少的张爱玲心里留下了深深的伤痕。

多年后，张爱玲做过一个雨夜回香港的梦。

船到的时候是深夜，而且下大雨。我狼狈地拎着箱子上山，管理宿舍的天主教僧尼，我又不敢惊动她们，只得在黑漆漆的门洞子里过夜。（也不知为什么我要把自己刻画得那么可怜，她们何至于这样地苛待我）风向

一变，冷雨大点大点扫进来。我把一双脚直缩直缩，还是没处躲。忽然听见汽车喇叭响，来了阔客，一个施主太太带了女儿，才考进大学，以后要住读的。汽车夫砰砰拍门，宿舍里顿时灯火辉煌。我乘乱向里一钻，看见舍监，我像见了晚娘似的，赔笑上前……

第二天，她讲给姑姑听时，她“一面说，渐渐涨红了脸，满眼含泪；后来在电话上告诉了一个朋友，又哭了；在一封信里提到这个梦，写到这里又哭了”。此时的张爱玲已功成名就，却仍然忍不住要将这个梦说给姑姑和朋友听，一遍又一遍。

梦里的情境，是一种现实里深入骨髓的不安全感的映射——无家可归，不管到哪里总觉得是寄人篱下。她感到自己被抛弃了，而抛弃自己的人却是最亲的人。哭是一种宣泄，而她已经不能在父亲和母亲面前流泪了，只能当着姑姑的面哭；和朋友在电话中伤感地哭；给朋友写信时黯然地流泪。她是那么无助。

从此，张爱玲不仅更加敏感，还变得愈发多疑和内省，变得越来越封闭。后来，孤独与寂寞常折磨得张爱玲痛苦不堪，但也每每让她获得灵感，找到些许慰藉。世事总是这么矛盾。

处于黑白分明的世界里的张爱玲，似乎忘记了曾经立下的宏图壮志。学校里的生活愈发枯燥而无趣，她经常闷闷不乐，有时连作业都懒得写。直到老师查收时，她才淡淡地说忘了。幸而，老师是通情达理的，了解她家里的状况，不至于在 11 岁少女的心头再撒上一把细细的盐粒。后来，同学们在遇到有人问起张爱玲的生活，常常会夸张地模仿，“喔，爱玲，我忘啦”，以此来取笑张爱玲。

在俞秀莲（张爱玲在圣玛利亚女校时的同班同学）的记忆中，那时的张爱玲，家世是比较卑微的，“她瘦得一塌糊涂，也不好看。人很文气，基本不理睬我们，我们也跟她皮不到一块去……她的话很少，也没什么谈得来的朋友。整天很用功，经常在写东西，功课很好，老师也很喜欢她”。在那时，用功写东西是张爱玲聊以自慰的方式。在文字中，她自己向自己倾诉，沉醉在自己给自己营造的世界中。

直至到了香港，张爱玲才遇到了唯一的朋友——炎樱。那时的张爱玲对自己的同学多半是挖苦和讽刺，唯独对炎樱赞美有加。她们惺惺相惜，整日形影不离，逛街、绘画、设计服装，完全沉浸在二人世界中。炎樱小小的个子加上活泼开朗的性格与张爱玲的沉默孤独正好相互弥补。后来，张爱玲甚至专门出了一本《炎樱语录》。我的朋友炎樱说：“每一个蝴蝶都是从前的一朵花的鬼魂，回来寻找它自己。”张爱玲何尝不是这样一只孤独的蝴蝶，一个人在低空里轻轻地、静静地飞着，独自寻找着自己前世的花。

曲折的流年，
深深的庭院，
空房里晒着太阳，
已经成为古代的太阳了。
我要一直跑进去，
大喊：“我在这儿！
我在这儿呀！”

诗中的张爱玲毫不掩饰自己的不安全感，她对周遭的一切产生了怀疑，即使是实实在在的空房与太阳。她固执地跑出空房，大声呐喊着，似乎要把内心里肆虐的恐惧全部通过呐喊释放出去。显然，她是痛苦的。这种感受，追根溯源，来自她的母亲和父亲。好在，她这也算是在寻找着属于自己一个人的快乐，因为她要一直跑向那太阳，即使那是远古的太阳。

后来，她将黑与白的世界带给她的感觉安到了她遇到的每一个人的头上。

小荷才露尖尖角

1936 年 9 月，16 岁的张爱玲升入了高三毕业班。这一年，学校为她们换了一位国文老师，名叫汪宏声。

汪宏声，浙江吴兴人，1910 年生，1930 年毕业于上海光华大学第五届教育系。他是一名翻译家，曾翻译过美国小说家奥尔珂德的长篇小说三部曲：《好妻子》《小妇人》《小男人》。这三部曲均收入在钱公侠主编的《世界文学名著》；他还曾以沈佩秋的笔名翻译了王尔德的《莎乐美》、易卜生的《娜拉》、果戈理的《巡按》，收入在钱公侠、谢炳文主编的《世界戏剧名著》。1936 年 9 月，他出任上海圣玛利亚女校国文部主任。

张爱玲的拥护者乃至现代中国文学史都应该感谢汪宏声先生。因为张爱玲的成功除了自身的努力外，也不能忽略汪先生对张爱玲写作生涯的“点拨和推波助澜”之功，更抹不掉汪先生对张爱玲写作天赋的发现与推荐之功。

张爱玲就读的圣玛利亚女校与圣约翰大学是当时上海两大美国基督教教会学校，师生们亲切地称它为“圣校”。学校的课程分为英文部和中文部。英文部全部采用英文授课，设置了英语、数学、西洋史、物理、地理和《圣经》等课程；中文部仅设置国文、国史和中国地理三门课程。其中初中部的老师多为师范毕业的中国女性，高中部老师多为前清科举出身的遗老。

而在相当长一段时间里，圣玛利亚女校是不重视国文教育的。汪宏声的到来，给张爱玲和同学们带来了醇正的国文教育，更是让张爱玲的国文天赋得以展露光芒了。

任教以后，汪先生给出的第一期作文题目是《学艺叙》和《幕前人语》，叫学生任选一题，并且声明亦可自由命题，且体裁不限。学生们觉得很新奇，甚至有些手足无措。待作文收上来后，“成绩果是意料中的糟极”。在一众逻辑不通、文理不通、语言混乱、七拼八凑出来的二三百字小文中，仅有的一篇自由命题的文卷引起了汪先生的注意，题曰《看云》，文笔很精彩。这篇《看云》“写来神情潇洒，辞藻瑰丽，可是别字很多，仿佛祖、祈等应该从示的字都写成从衣，从竹的写成从草之类”。而这篇文章的作者就是日后汪先生的爱徒张爱玲。

如获至宝的汪先生在课上当众表扬了张爱玲，并朗读了《看云》。趁热打铁，汪先生在班上做了更加细致和具体的指导，果然效果不凡。之后，“学生自己命题的作文渐渐多了，内容与形式都渐渐丰富起来了……可是张爱玲却仍旧保持着她一贯沉默的态度，文章虽然还是绚烂瑰丽的文章，却总是缺少热情”。于是，汪宏声又在课外设立了一个叫国光会的组织，出版了一本 32 开的小型刊物——《国光》。

汪先生原本是希望由张爱玲来编稿的，可是，“她只答应投稿”。而且虽然答应了投稿，她所投文稿却很少。所投第一篇，常为后人津津乐道，尤为汪先生推崇。这篇文章，“大概是受了我在课上介绍历史小品之后根据项羽本纪写的，技巧之成熟使全校师生为之吃惊。我在上课时大加赞赏，说爱玲的《霸王别姬》与郭沫若的《楚霸王之死》（应为《楚霸王自杀》）相比较，简直可以说一声有过之而无不及，并且对她说，应该好自为之，将来的前途，是未可限量的”。

汪先生给予张爱玲的评价很高，可见其对张爱玲的喜爱和欣赏。

“当那叛军的领袖骑着天下闻名的乌骓马一阵暴风似地驰过的时候，江东的八千子弟总能够看到后面跟随着虞姬……十余年来，她以他的壮志为她的壮志，她以他的胜利为她的胜利，他的痛苦为她的痛苦。然而，每逢他睡了，她……开始想起她个人的事来了。她怀疑她这样生存在世界上的目标究竟是什么。”十六七岁的张爱玲似乎已学会了站在历史的高度思考虞姬的人生，尽管现在看来其中有些为赋新词强说愁的稚嫩味道，却也难掩一个文学早熟少女的经世情怀，更无法拂去家庭的阴影在张爱玲内心深处所结出的苦涩果实。

《国光》陆续出版，张爱玲的投稿虽然不多，却篇篇是精品。于是，即便那时的张爱玲懒惰至极，内敛至极，却总能为汪先生所青睐，得到同学们的认可。对于张爱玲的“啊，我忘了”，同学们也总以插科打诨式的玩笑话加以取笑。张爱玲也是幽默的。她将她的幽默赋予了文字。

一次，《国光》收到了两首不署真实姓名的打油诗，是嘲笑两位男老师的。而汪先生看后便说：“我知道是张爱玲。”

> 橙黄眼镜翠蓝袍，步步摆来步步摇，
> 师母裁来衣料省，领头只有一分高。
>
> 夫子善催眠，嘘嘘莫闹喧，
> 笼袖当堂坐，白眼望青天。

张爱玲以游戏的心态和戏谑的笔触小小幽了两位男老师一默，略有夸张地将他们的老学究习气和老八股之态形象地描绘了出来，诗里诗外尽显妙龄少女的调皮与俏皮。

然而，在校规甚严的圣玛利亚女校，这首打油诗在轻松之余却也捅了马蜂窝。那两位被嘲笑的老师，一位“很随便，看见了一笑置之”，另一位却气愤不已，还告到了校长处。校长请汪先生和《国光》的编者一同商议了三个解决办法——由汪先生和编者书面道歉、《国光》停刊、不准张爱玲毕业。汪先生为“息事宁人起见，采取了第一个办法”。最终，这位先生“也自知太认真，以‘算啦！算啦！’了事”。由此，汪先生维护张爱玲之心可见一斑。

其实，早在12岁时，张爱玲就在圣玛利亚女校的另一份名为《凤藻》的校刊上发表过文章。她在短篇小说《不幸的她》中，以一种超越年龄的成熟笔触描写了一对少女时代的密友，长大之后拥有了截然不同的命运。一个因反抗包办婚姻而孤身漂泊四方，另一个则自由恋爱、结婚并过上了幸福的生活。十年后，两个女孩短暂相聚后，不幸的一个在看到对方生活的美满后，悄然离去。

除了小说，张爱玲还在《凤藻》上发表了不少散文，文笔老练而沧桑感十足。其中一篇《迟暮》，字里行间都是在写自己的母亲。

虽然张爱玲为《国光》投稿并不多，所投稿件亦多是在汪先生的催促下所为。但是，相比较而言，汪先生的出现于张爱玲有着更加不一样的意义。汪宏声先生是唯一对张爱玲做出正面评价的老师。

这一点，在汪宏声女儿汪根提供的张爱玲的一段留言中可见一斑：

> 中学时代的先生我最喜欢的一个是汪宏声先生，教授法新颖，人又是非常好的。所以从香港回上海来我见到老同学就问起汪先生的近况，听说他不在上海，没有机会见到，很惆怅……

“最喜欢”“教授法新颖”“人又是非常好的”，学生对老师的正面评价是对老师的最好酬劳。更何况，这于张爱玲而言是唯一一例。

后来，也许是张爱玲“我忘啦”的脾气的大爆发，也许是她太过敷衍，在后来的圣约翰大学入学考试中，张爱玲的国文竟然不及格。汪先生“听了颇为愤愤”，并发出感叹——“如张爱玲的国文入补习班，则请问有些大人先生应编入何年级”？

直到得知张爱玲的《传奇》出版，汪先生终于表示："我欣慰，我钦服，我的'好自为之'等等的话，不是白说的了。"在1937年的毕业典礼上，汪先生还专门找到张爱玲，谆谆然，希望张爱玲不妨多写。

总还嫌不够，就以张爱玲在同学顾淑琪保存的校刊上的留言来结束此节吧——

替我告诉虞山顾淑琪小时在常熟生活过，常熟有虞山，只有她，静肃、壮美的她，配做你的伴侣；也只有你，天真泼辣的你，配做她的乡亲。

少女，终归是美好的。小荷才露尖尖角的少女更是美好的！

再婚的父亲

生活啊，你什么时候才能平静下来？

黄素琼的离开让张廷重的生活一下子缺少了很多东西。他哪是一个能忍受得了寂寞的人，即使万般无趣他也一定要搅出一些涟漪，让涟漪中的人不得安宁。

据说是经某位表姑夫的介绍，张廷重在日商银行又谋得了一份工作，给买办孙景阳做助手，帮助其处理来往的英文信件。由于他精通外语，又做过秘书，故很快就赢得了孙景阳的欣赏。孙景阳有一个妹妹叫孙用蕃，因年轻时经历过一次失恋，直到 36 岁仍然独身一人。得知张廷重离婚，孙景阳便极力撮合妹妹与张廷重。

孙景阳兄妹的父亲孙宝琦，是前清山东巡抚，后历任徐世昌政府外交总长代理总理、曹锟政府内阁总理。因此，孙家的地位可想而知。对于这门婚事，张廷重自然喜不自胜。

而张爱玲听到这个消息，心里恨透了。她想：“无论如何不能让这件事发生。如果那女人就在眼前，伏在铁栏杆上，我必定把她从阳台上推下去，一了百了。”

张廷重与孙用蕃倒是很般配，同是前清遗少，又有着相同的爱好——二人都喜好那美丽的罂粟花的果实。丰厚的嫁妆让二人可以高枕无忧地躺在烟床上脸对脸地你抽一口我抽一口，全然不顾袅袅的乌烟外那个 14 岁少女透着厌恶的眼神。

这个女人趾高气扬地进门后，便要搬去老宅子住——上海公共租界西区的麦根路313号的一幢建于清末的仿西式豪宅。也因为那是李鸿章赠予爱女的房子，住在那里无疑可以让世人知晓她嫁的是李鸿章的后人。

生活总是这样，自顾自地转着，就像纺纱的棉车，只管将老妇人手中一大团乱糟糟的棉花牵引着一圈一圈地转着。纵然有了明显的不顺畅的棉疙瘩，转的时间长了，那棉疙瘩也总会被遮住的。因为，乍一看上去，那线轴倒也滑溜溜的，了无痕迹。

只是，棉疙瘩终究还是在那里，在线轴的心里，一圈一圈转回去时方能看得清楚。

对于张爱玲来说，回到出生时的住处是一段阴郁而苦难的日子的开始。这幢房子，注定要在张爱玲的生命里结下那不顺畅的棉疙瘩。而她也徒有发出“有太阳的地方使人瞌睡，阴暗的地方有古墓的清凉”的权利了。

后母的修养与她的出身背景显然差别太大。“有一个时期在继母统治下生活着，拣她穿剩的衣服穿。永远不能忘记一件暗红的薄棉袍，碎牛肉的颜色，穿不完地穿着，都像浑身生了冻疮。冬天已经过去了，还留着冻疮的疤——是那样地憎恶与羞耻。”自此，这件带有大户气息的美丽的薄棉袍，带给张爱玲的却是浑身脓烂的痛，留存大半辈子的深刻记忆。

自尊心极强的张爱玲在后母的言行中感受到的尽是羞辱，还有痛和恨。

一次，全家人正坐在一起吃饭，因为一点小事，父亲大发脾气，还打了张子静一记耳光，熟练而轻快。弟弟身子瞬间像木偶般一震，原本没有血色的脸更加苍白，接着泛起一丝红晕。然而，弟弟什么也没说，只是低着头继续扒饭，习以为常似的。

可是，于张爱玲，却是大大地震动了。她只觉得父亲的那一巴掌是打在自己的心上，连呼吸的能力也一并收去了。她的手指冰凉，头也嗡嗡作响，连忙把脸埋在了碗里，委屈和愤恨的泪水一滴滴落下，悉数砸在了碗里，就如空荡荡的房子里炸开了清明节的鞭炮。

而后母的嘲笑和奚落轻声细语却又清清楚楚地钻入了耳鼓："又不是说你，哭什么?"尖刻而冰冷。她仍不依不饶，"你瞧，他没哭，你倒哭了!"

张爱玲再也忍不住了，扔下了手中的碗和筷子，起身冲进浴室，从里面把门闩重重地插上。她站在镜子前，任由泪水肆意地流下，无声地抽噎着。透过朦胧的眼帘，镜中的自己是那么无辜、那么无助。父亲的凉薄、弟弟的麻木与孱弱、后母的无耻与卑劣，还有母亲的决绝离去，所有的一切都在镜中一幕幕地轮换着，快速地旋转着。她清楚地感受到了自己内心的恨。

于是，她发狠，要报仇，指向的是后母。总有一天，她会让她也知道被侮辱的滋味。

一只皮球蹦到了浴室临着阳台的玻璃上，然后又弹了回去，弟弟玩得不亦乐乎，显然他已经忘了刚才所受到的屈辱。她感到从脚底瞬间蹿上来的凉意，悲哀更加浓重，她不自觉地蜷缩着。

屈辱总不至于在此时戛然而止。

民族的悲与伤在张爱玲毕业的年份里刚刚开始。小日本鬼子的铁蹄已经踏进了中华大地。"八一三事变"后，上海沦陷，成了孤岛。对于如张廷重、孙用蕃这般蝇营狗苟的蛆虫而言，苟延残喘是最好的生存宝典。

之前，母亲在历经四年多的西洋生活，再次回到了国内，与姑姑住在一起。母亲想带张爱玲出国，但苦于经费不足，想让张廷重来出资。于是，黄素琼、张茂渊几番劝说，希望张廷重同意送张爱玲出国。可是，他怎么可能同意呢？即使他能勉强答应，后母孙用蕃也绝不会答应的。

在他们看来，"阿芙蓉"的开销是必需的，旧车换新车的钱是必需的，女儿出国的学费是绝不能花的。

母亲的努力换来的是后母的极尽挖苦：“你母亲离了婚还要干涉你们家的事。既然放不下这里，为什么不回来？可惜迟了一步，回来也只能做姨太太了。”张爱玲无法与尖酸的后母辩驳，便借口炮声终夜不断，睡不着，找父亲商量去姑姑那里住几天。碍着面子，即使明知那里还有她的母亲，父亲也没有过分阻拦。而像是得了大赦，张爱玲急匆匆逃往母亲与姑姑的住处。然而她忘了，现在的父亲是依赖后母生活的，她应该向后母请示，得到她的准许。她无意而故意地忘了。

两个星期后，当她从母亲与姑姑的住处回去时，后母就问：“怎么你走了也不跟我说一声？”

“我跟父亲说过了。”她觉得后母很多事。

后母勃然大怒：“噢，对父亲说了！你眼睛里哪还有我呢！”

没等张爱玲反应过来，脆脆的一声耳光已经打在了她的脸上。她本能地要还手。她以为这是她报仇的时刻。可惜，她被仆人拉住了。

孙用蕃一路叫嚣，向楼上狂奔：“她打我！她打我！”于是，不问青红皂白的父亲便一把揪住张爱玲，一顿拳脚相加。

在这一刹那间，一切都变得非常明晰，下着百叶窗的暗沉沉的餐室，饭已经摆上桌子，没有金鱼的金鱼缸，白瓷缸上细细描出橙红的鱼藻。我父亲趿着拖鞋，啪嗒啪嗒冲下楼来，揪住我，拳足相加，吼道：“你还打人！你打人我就打你！今天非打死你不可！”

我觉得我的头偏到这一边，又偏到那一边，无数次，耳朵也震聋了。我坐在地上，躺在地下了，他还揪住我的头发一阵踢。终于被人拉开……

此刻的张爱玲，心里是清楚的，她想起了母亲的话：“万一他打你，不要还手，不然，说出去总是你的错。”所以，她放弃了抵抗的想法。

此时，何干及时扮演了母亲的角色，不顾一切地拉开了仍在暴怒之中的张廷重。张爱玲怕是也没想到整日里沉浸在“阿芙蓉”袅袅青烟中的父亲竟然也有如此野性的暴虐一面，更是没想到他的野性力量竟然会释放在自己的身上，难道就是因为自己渐渐偏向母亲？那么他到底有多怨恨母亲？母亲的离开到底带给了他什么？

不知何时，暴怒的狮子离开了。张爱玲慢慢地爬了起来，无暇顾及身上的灰尘，径直走进了浴室。镜子里的自己，身上的伤、脸上的红指印触目惊心。她委屈极了，开始渐渐地变冷。

此时，我们没有必要怀疑《不幸的她》里那样的少年老成的深刻文字——“我不忍看了你的快乐，更形成我的凄清！别了！人生聚散，本是常事，无论怎样，我们总有藏着泪珠撒手的一日！”——是有感而发了。

第二章　沪港纪事

每个人的成长似乎都要经历一些特别的洗礼，张爱玲也是一样，只是她注定要被命运的手推着前行，或许有些路并不是她想要的，但是她又不得不让自己在屈服与抗争中寻求一种平衡，让自己得以喘息的平衡。幸而，她注定是不平凡的，她注定是要有自己的人生的。

逃离父亲的家

“看过太多的关于后母的小说，万万没想到会应在我身上。”

孙用蕃用她的表现淋漓尽致地诠释了现实中的后母形象，与小说中并没有不一样。

其实，年轻时的孙用蕃也曾轰轰烈烈地爱过。她曾与自己的一位表哥恋爱，但因为彼此家境相差悬殊而遭到家人的反对。于是，她与表哥相约服毒殉情。结果事到临头，表哥害怕了，通知了她的家人将她接了回去。

从此，孙用蕃性情大变，终日如行尸走肉般，结交风月，吞吐“阿芙蓉”，脾气越来越暴躁。直到父亲死后，哥哥将其嫁给了张廷重。张子静日后谈及孙用蕃时，也说出了些柔软之语——一进张家，就要给两个十几岁的孩子做后母，实属不易。

张爱玲对这位后母的出现是从心里抵触的。“我姑姑初次告诉我这消息，是在夏夜的小阳台上。我哭了，因为看过太多的关于后母的小说，万万没想到会应在我身上。”可是，弱小的少女哪能阻挡得了大人们的一意孤行?

即便如此，最初张爱玲还是与后母以礼相待，和平相处。一天，孙用蕃在张廷重书房里发现了一篇张爱玲的习作——《后母的心》——将一个后母的处境和心理刻画得入情入理。对此，张廷重很清楚，这不过是女儿的一篇练习作文，里面的情境与人是虚构的，并非指向孙用蕃。但孙用蕃认真了，她很高兴，逢人便将这篇习作拿来示人，夸奖爱玲十分懂事。

可是，少女对后母的抵抗是天生的。孙用蕃费了一番心思送出的嫁前衣，在豆蔻年华的张爱玲看来，“是那样的憎恶与羞耻”。

1936 年夏，电影《渔光曲》热映。一日，张爱玲兴起，决定教后母的丫鬟小胖学唱《渔光曲》的主题歌。张爱玲一边弹琴一边教唱。可惜，小胖天资愚钝，一个上午连前两句都没有学会。这时，她们把张廷重与孙用蕃吵醒了。父亲大怒，严令张爱玲以后不许上午练琴。结果张爱玲本就不多的乐趣又被禁止了一项，她便自然地将这笔账记到了孙用蕃的头上。张爱玲便与后母愈发疏远。

看张爱玲愈发不把自己放在眼里，之后的孙用蕃便试图寻找机会，想出了这口恶气。

机会终于来了。

眼见张廷重将张爱玲打得死去活来，孙用蕃并没有解气。她生气她竟然顶撞自己，更生气自己对她已经这么好了，她还暗地里与生母来往，完全没有把自己放在眼里。看到张廷重似乎也没有解气，她便怂恿父亲，把张爱玲关了起来。

年轻的少女终于意识到了，自己不知不觉已经陷入了囹圄。她试着撒泼，闹着踢那铁门，却是徒劳。反而让父亲发觉了她企图要逃跑的想法，便更加恼怒，顺手抄起一只大花瓶狠狠砸向了她的额头。那一刻，父亲要将满腹的恨意统统发泄到她的身上。而看着满地的碎片，张爱玲的恨意亦是揣了满满一怀。

她觉得，她与他已经没有父女情分了，她甚至恨起了血管里流淌的红色液体。在听到何干惴惴地问出：“你怎么会弄到这样的呢?”她再也压制不住满腔的恨意与委屈，“气涌如山地哭起来”。

张爱玲被关了起来。

乳母何干偷偷地给张爱玲的舅舅打了求助电话。舅舅是同姑姑一道来的，他们是来劝自己的哥哥（姐夫）放掉自己的侄女（外甥女）。

谁知，迎接他们的却是孙用蕃的冷嘲热讽和张廷重的暴跳如雷。

一见姑姑，孙用蕃便不失时机地冷笑道："是来捉鸦片的吗？"

一下子被触到痛处的张廷重从专门的烟床上猛地跳起来，拿起手中的翡翠烟枪劈头盖脸地朝亲妹妹打去。一样的硬脾气，张茂渊毫不犹豫应战，为了侄女，为了自己，也为了张家。但一个女子哪能与男子相抗？落败了的张茂渊愤恨地离开了，发誓再也不登门半步。

这样大的响动，张爱玲肯定听得见。再加上何干事后的描摹，年轻的张爱玲内心的反叛总是要被激发出来的。何干似乎看出了什么，急忙劝道："千万不可以出这扇门呀！出去了就回不来了。"

这已是无用的劝解了。《三剑客》与《基督山伯爵》齐刷刷地钻了出来，《九尾龟》也钻了出来。她要学习那恋人，用打了结的绳子，顺绳而下，逃出生天。她甚至想到了如何避免惊动楼下鹅棚里的两只鹅。她甚至还想到了要每天做健身操，好储备体力。

这一刻，终于要到来了。

在终日郁闷的心情、超支的体力与不良的饮食夹击下，张爱玲病倒了，很重。她患了严重的痢疾。

而父亲与后母商量好了，坚决不给她请医生，也不给她用药。

病势愈发沉重，以致她"差一点死了"。

何干再也看不下去了，她找到了张廷重，告诉他，如果他撒手不管，出了事情的话，自己将不负责任。

这个聪明的老妇人，以一席激将之语，将被猪油蒙了心智的张廷重惊醒了。他再不敢耽搁，不能再被孙用蕃牵着鼻子，他要暂时从那"阿芙蓉"的温暖乡之中抽身出来。女儿要是有个三长两短，他将首先背负起"恶父"的名声。为了自己的声誉，他开始背着孙用蕃给张爱玲用消炎药。消炎药果然起了作用，再加上何干的精心照料，张爱玲终于痊愈了。

晚年的张子静说："何干是立了一大功，否则以后的中国文坛能不能有‘张爱玲’这样一个人，都成问题。”

秋尽了，冬来了。

张爱玲还被囚禁在那间空房子里。她的体力已经不允许她再练习健身操了。她不得不躺在床上，看那青灰色的天。“也不知道现在是哪一朝、哪一代——朦胧地生在这所房子里，也朦胧地死在这里吗？死了就在园子里埋了。”也许是想到了死亡，对生的渴望让她变得坚强了起来。

待身体好转了些，张爱玲又开始了准备。无论如何，她一定要逃出去。她向何干打听了两个看守换班的时间。

上海的冬天湿冷湿冷的。一天晚上，这个少女先是伏在窗口，用望远镜观察好了四周的情况，待街上空无一人，她一步一步摸到铁门边，拔出门栓，开了门。然后，她闪身出去——当即就立在人行道上了！

她终于逃出来了！

街上，没有风，只有阴历年临近的沉沉的、湿湿的寒冷。借着昏黄的街灯，她回头望了望囚禁自己的那幢房子，她知道，她再也不会回来了。

这幢她出生于此的豪宅带给她的九九八十一难终于画上句号了。

“劫后余生”的张爱玲想起了母亲曾托何干传给自己的话——“你仔细想一想，跟父亲，自然是有钱的，跟了我，可是一个钱都没有，你要吃得了这个苦，没有反悔的”。

旋即，重获自由的张爱玲挺起胸膛，“在街沿急急地走着，每一脚踏在地上都是一个响亮的吻”！

她要用自己的笔去宣泄这从夏到冬的艰险，去表达重获自由的狂喜。她写了一篇英文稿件，投到了美国人办的《大美晚报》（Evening post）。惊讶的编辑也不惜做了一回标题党，为此文拟题——What a life! What a girl’s life!（什么样的生活！什么样的女孩生活啊！）许是仍嫌不够，6 年后的 1944 年，她又用中文在《天地》发表了《私语》，将因与果、历经的劫难以女儿家的“私语”，毫无保留地告白于天地。

父亲看到了，大发雷霆。但是，已经没有用了。

此生，她再也没有回去，再也没有回到父亲的身边。直到晚年以文字体谅父亲之前，她穷其一生进行着反击。

亲情似乎在此刻中断了，那是农历1937年冬季的最后几日。

这个冬天，寒冷是主旋律。

难 堪 的 爱

最彻骨的伤害，是以爱之名，用温水煮青蛙的方式或者再混合着凌厉的攻势向你袭来。这种混着痛苦的煎熬，会让你分不清什么是爱，什么是伤害。

在上海，逃出了那幢建于清末的仿西式豪宅，张爱玲愿意去的地方只有一个了，那就是母亲与姑姑一同居住的地方。

在《大美晚报》与《天地》上完成了对父亲的隐晦而公然的抨击后，生活似乎开始向她展示该有的色彩了。

1936 年，母亲从欧洲再次归国时，随行的还有她的美国男友——维基斯托夫。听名字，像是斯拉夫人。总之，母亲有了新的归宿。

母亲从娘家分得的遗产，多数是珠宝与古董。这些在赴欧时花掉了不少，1928 年回国与张廷重重归于好后又被张廷重逼出了许多，剩下的已寥寥无几了。

此时，姑姑的股票遭遇熊市，不得不将汽车卖了，司机也辞了，只雇了一位男佣，一周来三次。妈妈与姑姑的日子也陷入了窘境。

张爱玲的心思该是多么敏感而细腻啊，她怎能感觉不到呢？她暗暗地自责：不该来拖累妈妈的！

或许是看到了能将女儿拢在身边的希望，或许是心疼女儿在父亲处所受的委屈，最初的黄素琼是慈爱的。她继续坚持着之前对张爱玲的塑造，她想让女儿能够接受自己生命中无法继续的西式高等教育。于是，她专门给女儿请来了补习数学的犹太裔英国人，还让她去参加伦敦大学远东区的考试。

钱，母女间关系的这个搅局者，渐渐露出了它的狰狞面目。

此时，母亲的愿望、少女的心思已然越行越远，后来成了两条平行线。母亲宁愿花费高价聘请老师，女儿却为了实现内心里的小小欲望，时时向母亲处寻钱。起初，母亲也不愿辜负了少女的心思，然而渐渐地，经济的逐渐趋紧让母亲感到心有余而力不足了。

“问母亲要钱，起初是亲切有味的事，因为我一直是用一种罗曼蒂克的爱来爱着我的母亲的……可是，后来在她的窘境中三天两天伸手问她拿钱，为她的脾气磨难着，为自己的忘恩负义磨难着，那些琐屑的难堪，一点点地毁了我的爱。”敏感少女的自尊心感受到了一次次的难堪。这种难堪不仅在于向母亲寻钱而不得，亦在于其他的种种。

与母亲的这次长时间相处，与过去是不同的。几年的国外生活，已经在母亲的身上刻下了深深的烙印，她已经不知不觉地变成了“西方洋化的美妇人”，举手投足间皆是西洋风度。她多么渴望自己的女儿能成为一个自由的、独立的、有见识的西式洋化的淑女。

而这样的要求于此时的张爱玲是多么地不合时宜。母亲国外生活的日子里，张爱玲却在经历着父亲的风月场、孤独的单身生活和“阿芙蓉”里的恶毒后母孙用蕃，时时陪伴在身旁的是自小带她的保姆何干。这样的生活经历如何能让一个前清遗少的女儿轻易地蜕变成母亲心中的西式淑女呢?

我发现我不会削苹果。经过艰苦的努力我才学会补袜子。我怕上理发店，怕见客，怕给裁缝试衣裳。许多人尝试过教我织绒线，可是没有一个成功。在一间房里住了两年，问我电铃在哪儿我还茫然。我天天乘黄包车上医院去打针，接连三个月，仍然不认识那条路。

我母亲给我两年的时间学习适应环境。她教我煮饭；用肥皂粉洗衣；练习行路的姿势；看人的眼色；点灯后记得拉上窗帘；照镜子研究面部神态；如果没有幽默天才，千万别说笑话。

客观来说，此时的母亲是尽责的，虽然自己有了新的归宿和新的生活，但在女儿的教育问题上，依然毫不松懈，甚至还亲自教她最基本的生活技能，将自己的所得倾囊尽授。

母亲两年的精心培养，“除了使我的思想失去均衡外，我母亲的沉痛警告没有给我任何的影响”。

母亲的耐心在女儿的愚笨面前显得有些力不从心，她终于说出了那一句——“我懊悔从前小心看护你的伤寒症……我宁愿看你死，也不愿看你活着使你自己处处受痛苦”。

事实上，张爱玲也是痛苦的，痛苦万分。

母亲渐渐地心灰意冷，由“慈母”变成了“严母”。女儿无法适应母亲的变化，可是她已经与父亲诀别了，倘若再被母亲嫌弃，她将何去何从？自强的她不愿承认自己是失败的，可现实的挫败又让敏感的她感到自卑。她愈发痛苦，甚至绝望。

于是，公寓的阳台成了她躲避俗世与母亲教导的最好去处，她越来越喜欢在那里独处。她不明白为什么母亲看不到自己的一些长处。

我懂得怎么看“七月巧云”，听苏格兰兵吹 bagpipe，享受微风中的藤椅，吃盐水花生，欣赏雨夜的霓虹灯，从双层公共汽车上伸出手摘树顶的绿叶。

钻进了自己的逻辑里，张爱玲仿佛走进了一条死胡同，难以自拔。她痛苦得要去死，让地面重重地摔自己一个嘴巴子。

此时，张爱玲的愚钝与母亲的期望已经演变成了一对难以调和的矛盾，再加上后来每每找母亲寻钱时，母亲愈发不痛快，甚至会责备她。爱玲那少女的胸膛里便生出了——“这时候，母亲的家不复是柔和的了”——的感叹。

母亲的情感里已经有了生分的东西。

弟弟张子静的日子曾经因为姐姐的出走、父亲的醒悟而出现了好转。可是，终究敌不过孙用藩的鼓噪与“阿芙蓉”的诱惑。这种好日子没过多久，弟弟也开始思忖着逃到母亲处。那一年，在用旧报纸将篮球鞋悄悄包好后，弟弟穿着脏兮兮的衣服就离开了家，跑向了母亲与姑姑的住处。看到张子静时，张爱玲与母亲的心里不约而同地荡起了异样的涟漪。姐姐自是疼爱弟弟的，张爱玲又惊喜又忐忑，忙不迭地问道：“你怎么来了?”

弟弟在一阵阵的抽泣中讲述着父亲如何打自己，后母又是如何冷眼旁观，甚至会在一旁拱火。张爱玲明白弟弟说的都是真的，所以，当弟弟要求也要来与母亲同住时，她便立刻帮弟弟求情。因为，她明白母亲的态度。

果不其然，母亲很平静地和弟弟描述了处境，坦诚自己的状况只负担姐姐已经很困难了，何况根据离婚协议，姐弟二人的生活费与学费本应由父亲承担，所以，自己已经无力再抚养弟弟了。

看着弟弟落寞离去的背影，想想母亲对自己的要求与期望，张爱玲的心中复杂极了。她痛苦，她甚至开始了另一场逃离的准备。下定决心后，她便开始刻苦复习。努力终究没有白费，天资聪颖的张爱玲在 1938 年伦敦大学远东区的入学考试中，获得了第一名。

母亲欣喜万分，终于看到自己的谆谆教诲与殷殷期待得到了回报，甚至还在女儿的身上看到了生活的希望。张爱玲更加欣喜，只是母亲恐怕是无法理解女儿的欣喜是因为什么。

命运的捉弄没完没了。

母亲给予爱玲的难堪在一年多后的香港竟有了一次更加淋漓尽致的表现。

那天，母亲到港大的宿舍看望张爱玲。看见母亲，张爱玲的惊讶胀满了胸膛，她怎么那么憔悴了！噢，“也许是因为她改了发型，头发束起来，向后梳，所以显瘦”。穿着朴素的母亲解释说是应牌友之邀来香港，并让张爱玲到浅水湾饭店相聚。看管宿舍的嬷嬷听到不禁惊讶地看着张爱玲，因为她很难想象一个贫困学生的母亲居然能住在香港最好的饭店。

恰巧，那几天张爱玲刚刚获得了佛朗士教授以个人名义颁给她的800元奖学金。这样的喜悦自然是难以形容的，她想第一时间告诉母亲，让母亲为自己骄傲。

但母亲却不主张拿别人的钱，要她还给教授。张爱玲连忙解释，教授是好人，竭力打消母亲的疑虑。母亲便说：“先搁这儿再说。”两天后，张爱玲无意得知母亲居然将那800元赌输掉了！

刚刚带给自己内心极大满足的自信，居然被母亲以这样毫不在乎的方式给挥霍掉，张爱玲觉得自己的自尊心碎了一地，她愤怒了，她伤心了。

刹那间，母亲这个神圣的字眼竟然与难堪连在了一起！

港 大 重 生

欧战的不期而至，竟然悄无声息地阻挡了一个年轻姑娘的向往自由之路。虽然她考取了远东区的第一名，伦敦大学之行还是因战争而搁浅。无疑这对张爱玲来说，是一次不小的打击。她的期望和梦想瞬间化为泡影，她感觉自己离梦想越来越远。

幸运的是，伦敦大学的入学考试成绩在香港大学是有效的。于是，转年张爱玲坐船来到了香港。

离开了母亲，也离开了父亲，初次来到香港大学，张爱玲开始了生命中的第一次彻底的自由呼吸。“望过去最触目的便是码头上围列着的巨型广告牌，红的，橘红的，粉红的，倒映在绿油油的海水里，一条条，一抹抹刺激性的犯冲的色素，窜上落下，在水底下厮杀得异常热闹。”这么热闹的所在，到处是忙碌的人们。在这里，她要真正主宰自己的生活，她要像渴了半个世纪的海绵一样去用力汲取所有新鲜的知识。

毕竟是一个涉世未深的 19 岁少女，她对自己生活的安排一开始就跌跌撞撞。

当她提着母亲出洋时用过的旧皮箱走下码头，睁着一双懵懂而又清澈的眼睛望向这花花世界时，一个中年男人走过来，礼貌地打着招呼：“我是李开第。”这个男人很谦和，样子很好。

李开第，姑姑的初恋情人。十多年前张茂渊在开往英国的船上，认识了一位比自己大一岁的年轻男士。他英俊潇洒，才情四溢。四目对视后，他们就双双坠入了情网，携手享受着蓝天、海洋、轮船与海鸥相伴的明媚日子。然而，命运跟张茂渊开了一个大大的玩笑，他们最终并没有在一起，李开第结了婚，新娘另有其人。

爱情的天地轰然崩裂，张茂渊抽身而退，留下了一句悠悠的穿越半个世纪的话——“今生等不到，我等来生”。50余年后，熬过了“文革”，孤身守空闺半个世纪的张茂渊终于嫁给了耄耋之年的李开第，终于未让“我等来生”成为孤独响彻时空的绝唱。

母亲委托李开第帮忙照顾张爱玲，李开第自是心领神会。此时的李开弟已经是从英国曼彻斯特学成回国的一位工程师，事业有成，有一定的社会地位。因此，在看到张爱玲不愿多说一句话时，李开第便开车将她送往了香港大学位于半山腰的校区，一路上向张爱玲介绍着香港。尽管他的介绍很平静，却掩饰不了映入眼帘的实实在在的风景带给张爱玲的冲击。她感到了从未有过的畅快，她庆幸自己来到了这样一个崭新的天地。而此前知道李开第是母亲委托的人本有的不快情绪，也在崭新环境的冲击下暂时化为乌有了。

那时的香港大学坐落在一座法国修道院内。管理学生宿舍的是皈依天主教的修士与修女。母亲黄素琼事先将港大的章程读了好几遍，知道学校的条件尚可，唯缺台灯，便在先施公司给张爱玲买了一盏“乙字式”的小台灯。

好在，除了小台灯与学费，母亲不再有“干涉”了。接下来的学习和生活将由爱玲自己掌控，她真的获得自由了。

像所有的年轻人一样，脱离母亲与父亲追求自由的同时也意味着碰到之前所不曾遇到的困难。第一个难题就是钱。母亲给的钱终是不够的，而向母亲要钱时的难堪也让爱玲不愿再开口。但难堪就是这样的怪东西，不在母亲处出现，还会在其他地方出现。

《小团圆》里，张爱玲以第三人称描述了这样一个细节——“在这橡胶大王子女进的学校里，只有她没有自来水笔（只能用蘸水笔），总是一瓶墨水带来带去，非常触目”。

没有钱，张爱玲不敢参加社交活动。她没学会跳舞，因为跳舞需要额外置办裙子与皮鞋；她也不愿与同学一同出游，因为旅费是一笔额外的开销。

一次，舍友周妙儿邀请同学去自家购买的离岛上的豪宅玩。大家商量好，租一艘小轮船，费用平摊，大约十多元。张爱玲拒绝同往。她向负责管理她们的修女解释，自己的父母离异，她被迫离家出走，母亲支付学费已十分吃力，因此不想去。修女做不了主，最后竟闹到修道院院长处，以致众人皆知有这么一位贫困生。

颜面尽失对于自尊心极强的张爱玲来说，是件难以忍受的事。好在，她是积极的，将这样的难堪转化为了发奋苦读。她要再次实施报仇了。

于是，她要好好学习，努力获得奖学金。

张爱玲的英语，是父母亲难得共同起作用的领域之一。所以，张爱玲的英语在一群英语比中文好的华侨子弟中也并不显落后。即使如此，张爱玲的英语学习仍然异常努力，她甚至能够背卜整本弥尔顿的《失乐园》。

三年里，张爱玲几乎不用中文写作，即使是给母亲与姑姑写信也使用英文。姑姑的英文自不必说，她常常用粉红色的拷贝纸给爱玲写信，字体是淑女样的。

渐渐地，张爱玲的英文水平已经高到足以成为一项技能——谋生的技能。晚年张爱玲在美国时，曾得到一位美国教授的评价——英文写作比美国人还地道，更富有文采。

那时，港大的文学院教师与同学几乎没有不知道张爱玲的。因为她每门课程都能考第一名。到了大二，港大文科的两项奖学金都能被张爱玲一人斩获。她不仅能拿到数额不菲的奖学金，还能免交学费与膳宿费，甚至还获得了毕业后免费保送牛津大学的机会。一位以严厉著称的英国籍教授曾惊叹于张爱玲的学业优秀——教书几十年，从未有人考过如此高的分数！

学业的优秀、高额的奖学金，以及教授的赞叹都极大地满足了张爱玲的自尊心。她终于扬眉吐气了，她的脚步终于不用那么急匆匆了，她的笑容也渐渐多了起来，她也能渐渐地融入同学中去了。

港大半山腰的校园里，那个修道院里，一朵羞涩的紫色小花悄无声息地开放了。迎着朝霞，它舒展开来的花瓣上，滴滴露珠正闪耀着熠熠的光芒；晚霞里，它微风中愉快地摇摆着身姿，在花的海洋中微笑，在修女们静谧的笑容里绽放。

港大，对张爱玲来说有着非同一般的意义，它不仅是新生活的开端，是与自由的亲密接触，更是自己的一段奋斗历程。

那里有一位英国籍的历史教授，叫佛朗士。

他有孩子似的肉红脸，瓷蓝眼睛，伸出来的圆下巴，头发已经稀了，颈上系一块黯败的蓝绸作为领带。上课的时候他抽烟抽得像烟囱。一团黑柱，青烟直冒。尽管说话，嘴唇上永远险伶伶地吊着一支香烟，跷板似的一上一下，可是虽险，却怎么也不会落下来。烟蒂子他顺手向窗外一甩，从女生蓬松的鬈发上飞过，很有着火的危险。不过，幸好，每次都是有惊无险。

佛朗士是个中国通，还会写中国字，虽然总是搞不明白笔画顺序，但字写得不错。另一位教西方文学的先生，绅士气很浓，最爱讲莎士比亚。他讲课时，总会情不自禁地顺手掏出雪茄烟。当青灰色的烟袅袅在教室上空盘旋时，他就会沉醉在自己的世界里，娓娓诉说。还有一位教古典文学的老先生，一袭长髯，一袭长袍，总是那么仙风道骨。爱玲喜欢听他吟诵《楚辞》：“长太息以掩涕兮……”

港大的三年，张爱玲终日里沉醉于书本，来往于教室、图书馆与宿舍之间，将最美好的青春赋予了美丽的校园与浩瀚的知识海洋。那极强的自尊心与敏感也在这几年中，慢慢地消磨，她变得愈发平和。

是的，在这里，张爱玲的生命重生了，从父亲的腐朽中复活了，也从母亲给钱时的难堪中复活了。她获得了自由，生命也因此而灿烂，虽然此时的她不过是一朵不知名的小花——

到了浅水湾，他搀着她下车，指着汽车道旁郁郁的丛林道："你看那种树，是南边的特产。英国人叫它'野火花'。"流苏道："是红的吗?"柳原道："红!"黑夜里，她看不出那红色，然而她直觉地知道它是红得不能再红了，红得不可收拾，一蓬蓬一蓬蓬的小花，窝在参天大树上，壁栗剥落燃烧着，一路烧过去，把那紫蓝的天也熏红了。她仰着脸望上去。柳原道："广东人叫它影树。你看这叶子。"叶子像凤尾草，一阵风过，那轻纤的黑色剪影零零落落颤动着，耳边恍惚听见一串小小的音符，不成腔，像檐前铁马的叮当。

她重新看到了生活的美好，看到了生活的希望，更看到了自己的精彩。

这三年，算是张爱玲的一次重生，没有束缚的重生。

与炎樱相识

在三年的港大生活中，与炎樱的相识，是那样地令人愉快。自此，炎樱成了陪伴张爱玲一生的挚友。

初入港大时的张爱玲是孤独、寂寞的，常常无处可去。因为那一次拒绝与同学一起乘船出游，爱玲的贫困被公之于众，被广为传播。那些来自东南亚富庶家庭的华侨子弟渐渐地自发形成了孤立她的圈子。她的寂寞与孤独便只能隐藏在“乙字式”小台灯和图书馆里的一本本英文原著里。

她的生活似乎与其他的女孩子泾渭分明，她们的故事是属于她们自己的，而她只是在一旁静静地阅读着，内心里沉淀的是一层层的自尊与敏感，有时还会有那么一些些刻薄。《谈跳舞》里，张爱玲描述了这样两个与自己年纪相仿的女子。

一个女孩，牙齿“很可爱地向外龅着”，名字叫金桃，漆黑的脸，来自马来亚（现在的马来西亚）。在爱玲看来，她显然是在娇生惯养中长大的。但爱玲对马来亚似乎有着天生的抵触与不屑，她总觉得那里的文明是“在蒸闷的野蛮的底子上盖一层小家气的文明”。

爱玲喜欢金桃教大家跳马来舞蹈——是这样的：男女排成两行，摇摆着小步小步走，或只是摇摆；女的捏着大手帕子悠然挥洒，唱着：“沙扬啊！沙扬啊！”（沙扬是爱人的意思）在爱玲听来，这样的歌声虽然单调，却“更觉得太平而美丽”。

张爱玲总觉得金桃身上有股子不讨人喜欢的小家子气，因为金桃常常在去看电影的路上看见别的女孩穿了洋装后，马上要返回宿舍也换上洋装。在爱玲看来，金桃的行为“就像一床太小的花洋布棉被，遮住了头，盖不住脚”。

还有一个叫月女的女孩，脸上有一种“羞耻伤恸的神情”，爱玲总会奇怪地觉得“常常想到被强奸的可能”。张爱玲初见她时，“她刚到香港，在宿舍浴室里洗了澡出来，痱子粉喷香，新换了白地小花的睡衣，胸前挂着小银十字架，含笑鞠躬，非常多礼”。

爱玲是同情月女的，她觉得月女的“空虚是像一间关着的、出了霉点的白粉墙小房间，而且是阴天的小旅馆”。

这样的女孩子或者是爱玲不屑于接近的，或者是与爱玲无法沟通的。当然，还有很多是厌嫌张爱玲的贫困与清高而不愿意接近她的。

好在，炎樱的出现将这一切改变了。

炎樱是混血的锡兰（即今斯里兰卡）姑娘，父亲是阿拉伯裔的锡兰人，虔诚的伊斯兰教徒，母亲是天津人。炎樱家在上海有一家珠宝店。早年，炎樱的母亲因与父亲交好遭到家人的反对，后来毅然与家人断了来往。

炎樱的本名是 Fatima Mohideen。炎樱这个名字是张爱玲给她取的。只是，她本人似乎并不喜欢这个名字，于是改为“莫黛”。张爱玲认为“莫黛”不好，听起来像“麻袋”，于是又改为“貘梦”。不过，因为张爱玲喜欢以炎樱称呼她，在此也以炎樱来称呼这个混血女孩。

“炎樱个子生得小而丰满，时时有发胖的危险，然而她从来不为这担忧。”炎樱她对张爱玲说：“Two armfuls is better than no armful。”张爱玲根据《西厢记》里一句“软玉温香抱满怀”将它翻译成了“两个满怀较胜于不满怀”（神一样的翻译，却被张爱玲自己称为“勉强翻译”），炎樱的幽默可见一斑了。

炎樱的豁达与幽默对张爱玲来说，简直再好不过了。张爱玲在《炎樱语录》里记载了许多炎樱的话语。

——炎樱说："每一个蝴蝶都是从前的一朵花的鬼魂，回来寻找它自己。"

——有人说："我本来打算周游世界，尤其是想看看撒哈拉沙漠，偏偏现在打仗了。"炎樱说："不要紧，等他们仗打完了再去。撒哈拉沙漠大约不会给炸光了的。我很乐观。"

——中国人有这样的话："三个臭皮匠，凑成一个诸葛亮。"西方有一句类似的谚语："两个头总比一个好。"炎樱说："两个头总比一个好——在枕上。"

炎樱与张爱玲还有很多共同的爱好。

闲暇时，两个年轻的女孩子常常相伴去逛街，然后一起去喝咖啡、吃东西。每次在咖啡厅吃东西，总是炎樱发起关于吃的建议："吃什么呢?"之后，爱玲总是要苦思一番，然后谨慎而愉快地答复说："软的，容易消化的，奶油的。"

每一次回答都要经过同样的沉思，而每一次沉思后的结果却都是一样的。接着，服务员便会为两人送上相同的奶油蛋糕，外加一份奶油和一杯热巧克力加奶油，另外还要再加一份奶油。费用是AA制的，却也阻挡不了彼此积极地劝诱："不要再添点什么吗?"仿佛两个人在争着扮演主人来招待来访的客人。

张爱玲自小学习绘画，所以在绘画方面比较擅长。恰好，炎樱也是有绘画天赋的。为了消磨时光，张爱玲与炎樱常常凑在一起画画，一个构图，一个上色，十分默契。张爱玲后来的小说集《传奇》，初次出版以及再次出版增订版时，封面都是炎樱设计的。炎樱的设计新巧而灵动，张爱玲很是喜爱。

时装设计也算是两人的共同爱好。

在与炎樱的交往中，张爱玲感受到了前所未有的快乐。不仅是快乐，还有朋友间的关心和呵护。

炎樱在香港的朋友很多，她每次去拜访朋友，都会拉上张爱玲同去。张爱玲也因此有机会认识了一位传奇的女子。

一天，炎樱邀请爱玲看电影。因为囊中羞涩，张爱玲和往常一样推托着不愿前往，但拗不过炎樱再三劝说，最终还是去了。

电影院在中环，有些古旧。两人刚到，便见一个50多岁的男子迎上前来。他身子瘦削，穿了一件并不得体的已经泛黄了的白西装。头发和肤色与西装的颜色一样，显得破旧不堪。乍一看上去，男子像是毛姆小说中流落在远东或南太平洋的白种人，但若仔细看，充满了血丝的麻黄色的大眼睛显露了他的身份——是个印度人。他是潘那矶先生。

炎樱大方地向他介绍张爱玲："希望你不介意她陪我来。她是我的同学，叫张爱玲。"潘那矶先生的反应着实让张爱玲与炎樱惊愕不已，他什么也没说，将手中的两张电影票塞到了炎樱手中，转身便要走开。没走几步，忽又想起什么似的，又回来将手中的一个纸包塞给了炎樱就走了，也没有理会炎樱提出的"我们去补一张票"的建议。回过神后，炎樱不好意思地笑着低声对张爱玲说："他带的钱只够买两张票。"纸包里是两块带夹糖鸡蛋的煎面包。

电影院里的条件实在不好，看不清也听不见。于是，两人中途就退了场。在回学校的车上，炎樱向张爱玲介绍起了潘那矶先生。原来，潘那矶先生是个帕西人——祖籍波斯的印度拜火教徒，以前做生意做得很成功，后来倒了霉。原因竟是，潘那矶先生认识了一位麦唐纳太太。因为麦唐纳太太三次跟人同居，最后一个是苏格兰人，叫麦唐纳，于是便自称麦唐纳太太。

这位"麦太太"有一堆女儿，非要大女儿宓妮嫁给潘那矶先生。宓妮那时才15岁，死活不肯嫁。麦太太便骑在女儿身上打，硬逼着女儿嫁了过去。22岁时，宓妮与潘那矶先生离婚了，带走了他们的儿子，还不准老潘看望。潘那矶先生时常因想念儿子精神恍惚，无暇顾及生意，便越做越亏，最终成了落魄的“失败者”。宓妮则不一样，她很年轻，入了洋行，日子越过越好。如今，儿子已经 19 岁了，但保养有方的宓妮在外人看来简直就像是孩子的姐姐。

巧合的是，后来在宓妮请炎樱吃饭时，张爱玲见到了宓妮。那时，宓妮已经再婚了，丈夫是她儿子的一个朋友，小她很多，但三个人却生活得很开心。这段传奇后来成了张爱玲的小说《连环套》里的故事原型。

有人说，炎樱成就了张爱玲。恐怕，即便是张爱玲自己看来，也是如此。张爱玲后来的两次婚姻，炎樱都是见证人。作为张爱玲的好友，炎樱始终陪伴在她的生命中，温暖着她，纵使她们不经常见面，依然彼此牵挂，彼此关切，彼此祝福。

青年天才的纠结

香港大学，是个靠英文行走的地方，学习要用，生活也要用。即便那些教古典文学的老先生，也阻挡不了来自东南亚的华侨子弟们肆无忌惮地使用英文。张爱玲也是如此。

不一样的是，张爱玲并没有丢掉老祖宗的东西。现成的例子，便是她参加了《西风》的一次征文比赛。

《我的天才梦》里，张爱玲将自己的天才与愚笨都袒露了，几乎未作隐瞒。

张爱玲的天赋是具象的，并非海市蜃楼。

张爱玲3岁便能背诵唐诗，甚至背诵“商女不知亡国恨，隔江犹唱后庭花”时，躺在藤椅上的清朝遗老便会“泪珠滚落下来”。这个细节，在《对照记》中也做了介绍。7岁时，她写了第一部描写家庭悲剧的小说；8岁时，她写了类似乌托邦的小说《快乐村》；9岁时，她便开始纠结于将来是要当画家还是音乐家的选择中。

年少的张爱玲，不仅会背诵古诗、创作小说，“对色彩、音符、字眼”也极为敏感。她创作的小说里的插图也都是出自自己笔下——“现在我仍旧保存着我所绘的插图多帧，介绍这种理想社会的服务、建筑、室内装修，包括图书馆、‘演武厅’、巧克力店、屋顶花园”。除此，张爱玲在《我的天才梦》里也做过精彩的描述——“当我弹奏钢琴时，我想象那八个音符有不同的个性，穿戴了鲜艳的衣帽携手舞蹈。我学写文章，爱用色彩浓厚、音韵铿锵的字眼，如‘珠灰’‘黄昏’‘婉妙’‘Splendour’‘melancholy’，因此常犯了堆砌的毛病”。

只是，张爱玲当初在母亲那里表现出来的诸多愚笨亦是不会作假的了吧。

人们都说，上帝在给你关上一扇门的同时会给你打开一扇窗。这句话在张爱玲身上，想必我们得反着去读了——上帝在给你打开一扇门的时候，会给你关上许多小窗。想来倒也有趣，上帝还是公平的，并没有偏爱张爱玲许多。

只是，这样的公平也让张爱玲饱尝了一辈子的困扰。

姑且，称之为天才的纠结的一种吧，算是一种大纠结。

而这样的大纠结中，往往还掺杂着一些微不足道的烦恼。譬如，在音乐与美术中做选择时的纠结；在使用华美字词时，内心的完美主义与清醒认识之间的矛盾带来的纠结；还有就是母亲的态度给她一生带来的纠结。有些纠结是可以一笑而过的，而有些却是能跟随一生也无法卸下的包袱。

一辈子没有放下的，还有凭借《我的天才梦》参加《西风》评奖的经历。

1939 年 9 月 1 日，《西风》在其第 37 期杂志上登载了征文启事——“举凡关于个人值得一记的事，都可发表出来。题目由应征者……我的妻子，我的丈母，我的媳妇……只要值得记述，都可选作征文题目……字数：五千字以内……奖金：第一名现金五十元……”

当时，年仅 18 岁的张爱玲写了一篇五百字的《我的天才梦》应征。这篇文章与张爱玲后来的作品相比，虽然不够老辣，但用语精湛，如末一句“生命是一袭华美的袍，爬满了蚤子”，已成人所共知的名言。

据张爱玲回忆，征文寄出后没多久，杂志社就通知她“得了首奖，就像买彩票中了头奖一样”。不曾想，等到获奖名单公布时，“首奖题作《我的妻》，作者姓名我不记得了。我排在末尾，仿佛名义是‘特别奖’，也就等于《西风》所谓‘有荣誉地提及’”。

后来，在出版的《张看》附记里，张爱玲这样写道：“因为字数受限制，所以当初写的时候，只好极力压缩。可是获奖的第一名，字数要多出好几倍。”她愤愤不平，觉得自己是受制于字数而没有发挥出应有的水平，所以仅得了个名誉奖。言语间，从“只好”“极力”词汇的使用看，张爱玲心中郁结多年的不平仍然无法释怀。

1994年，《对照记》初版，获得台北《中国时报》的“时报文学特别成就奖”。张爱玲应邀写了获奖感言。张爱玲在这篇名为《忆<西风>》的获奖感言中，重提了当年征文比赛。而之所以两次提及此事，显然，骄傲的张爱玲认为自己应该得第一名的，应该得那五十元。

事实上，这也并非张爱玲的一厢情愿与毫无根据的臆想。尘封的旧事里，必然会有不为人知的细节，才会让张爱玲历经那么多年依然如鲠在喉。

张爱玲还指出：“《西风》从来没有片纸只字向我解释。我不过是个大学生。征文结集出版就用我的题目《我的天才梦》。”张爱玲毫不掩饰自己对此事的耿耿于怀，并直言此事“成了一只神经死了的蛀牙”，隔了近半个世纪还在剥夺她第二次得奖“应有的喜悦”。

对于有强烈的自尊心，又十分敏感的女子，还指望淡然一笑将受到的这么大一个委屈丢在风中，怎么可能?

即使张爱玲在后来的作品中或与友人聊天时，屡次说起香港的美好，也终未能将这件事忘掉。

还是让我们在重温张爱玲《我的天才梦》中的经典句子中，结束这样的纠结吧。

> 生活的艺术，有一部分我不是不能领略。我懂得怎么看“七月巧云”，听苏格兰兵吹 bagpipe，享受微风中的藤椅，吃盐水花生，欣赏雨夜的霓虹灯，从双层公共汽车上伸出手摘树顶的绿叶。在没有人与人交接的场合，我充满了生活的欢悦。可是我一天不能克服这种咬啮性的小烦恼，生命是一袭华美的袍，爬满了蚤子。

传奇年代

那是一个无人愿意停留的年代，除了在那个狭长小岛上居住的战争狂外。

1941 年 12 月，由于太平洋战场的形势日趋严峻，为继续开拓东亚战场的日本将大批大批的炮弹毫不吝啬地散发到香港岛上。

这时，张爱玲的港大生涯进入第三个年头。这样的轰炸，即便如亨利嬷嬷般平静的语调做掩饰，也无法改变它可憎的面目。

张爱玲看见“地平线上一辆疾驶的汽车爆炸了。接着又是砰砰的几声巨响，从海上飘过来。”

“大学堂打电话来，说日本人在攻香港。”亨利嬷嬷的语调在这恐怖的轰炸声中异常平静，平静得让人窒息。

这是一种奇妙的反差。

香港的英国殖民地属性决定了所谓的“港战”不过是走走过场的战争秀而已，目的可能仅仅在于向人们有个交代罢了。然而持续十多天的“港战”，足以成为港人分群的导火索了。

对于那时的香港以及生活在这片土地上的人们来说，日本的轰炸似乎来得太过突然。一旦来了，又是那么恐怖、残忍和血腥。战乱纷飞中，人们开始自发地分群：有的慌乱，有的悖谬，也有的居然有着探险似的惊喜，还有的“走了”（那时的“走了”，意思是去了重庆国统区）。

苏雷珈，一个来自马来半岛某个偏僻小镇的“西施”，“瘦小，棕黑皮肤，睡沉沉的眼睛与微微外露的白牙。像一般的受过修道院教育的女孩子，她是天真得可耻”。这个学医的姑娘竟然向人们打听“被解剖的尸体穿衣服不穿”，在港大一时传为笑谈。

日军的一个炸弹掉在了隔壁的宿舍，大家被催促着赶紧下山躲避。如此紧要关头，苏雷珈居然没有忘记“把她最显焕的衣服整理起来”，丝毫不顾一同避难的人们劝阻，她仍然“在炮火下将那只累赘的大皮箱设法搬运下山”。

就是这样一个姑娘，却在投入防御工作后，发生了巨大的变化。她“穿着赤铜的绿寿字的织锦缎棉袍蹲在地上劈柴生火”，与男护士混得极好。她同他们共同工作，共同承担风险，偶尔还同大家开开玩笑，人变得干练了。

看在眼里的张爱玲不禁感慨万分：“战争对于她是很难得的教育。”是啊，战争的影响居然可以让一个大家眼中的可笑女子，蜕变成勇敢的后方防御工作者。

艾芙林是一个有着健康的悲观主义的人。她声称自己身经百战、吃苦耐劳。不料，炸弹一丢，最先慌张的竟是她；她还歇斯底里地哭喊，给大家讲鬼故事，把其他女同学吓得面无血色时，她反倒像是得到了些许心理安慰一样；宿舍里的存粮眼看要没了，艾芙林反而吃得比平时多，也劝大家努力地吃，“因为不久便没的吃了”，并不管大家“未尝不想极力撙节，试行配给制度”。吃饱了，艾芙林便坐在一边嘤嘤地哭。结果到最后，她得了便秘。

相形之下，炎樱的表现似乎更得张爱玲欣赏。“同学里只有炎樱胆大。”即便身处战火中，炎樱还是做了“仿佛是对众人的恐怖的一种讽嘲”的两件事。她去看了场五彩卡通的电影，然后回到宿舍独自在楼上洗澡；流弹将浴室的玻璃窗打碎了，她竟还能“在盆里从容地泼水唱歌”。炎樱的这种不在乎，在那个时候倒有一种罕见的超凡脱俗的冷静。

香港投降后，张爱玲知道两三天内陆续有人“走了”。他们翻过了山头，回到了内地，去了战时陪都重庆。也许，他们认为只有去“首都”才是安全的吧。

香港投降是在十几天的“港战”前便能预料到的。因为此时的英帝国已完全没有必要将过多的精力投在远东的一小块殖民地上，它需要做的是告诉它的臣民，自己是努力的，以免背上可耻的不战之名。

膏药帝国的统治者从英国人手中接过了香港，他们想制造大东亚共荣圈繁荣的典范。于是，港人的物质享乐主义有了继续生根发芽的土壤。

香港重新发现了“吃”的喜悦。真奇怪，一件最自然，最基本的功能，突然得到过分的注意，在情感的光强烈的照射下，竟变成了下流的，反常的。

她们满大街找冰激凌，以弥补之前的损失。好不容易找到了一家吃食店，答应“明天下午或许有”。第二天，张爱玲与炎樱便步行十来里路去到这家吃食店，吃了“一盘昂贵的冰淇淋”，并抱怨“里面吱咯吱咯全是冰屑子”。街上的吃食在很长一段时间里都“为小黄饼所垄断”。之后，“渐渐有试验性质的甜面包、三角饼，形迹可疑的椰子蛋糕”。显然，这样的生意是不错的，以至于后来“所有的学校教员、店伙、律师帮办，全都改行做了饼师”。

除了“吃”之外，那时的张爱玲终于学会了“怎样以买东西当作一件消遣”。她与炎樱天天以买东西的名义上街逛逛、看看。因为，那时的香港已经十分繁华了——“街上摆满了摊子，卖胭脂、西药、罐头牛羊肉，抢来的西装、绒线衫，蕾丝窗帘，雕花玻璃器皿，整匹的呢绒”。

还有一件事情也可以成为人们享乐主义的写照。

家在外地的学生没事做，每天除了买菜、烧菜与调情，就是无聊地在窗玻璃平铺的灰尘上涂写“家，甜蜜的家”。人们无法忍受这样的“无牵无挂的虚空与绝望”，于是，结婚便成了顺理成章的打发无聊日子的最好选择。

> 缺乏工作与消遣的人们不得不提早结婚，但看香港报上挨挨挤挤的结婚广告便知道了。学生中结婚的人也有。一般的学生对于人们的真性情素鲜有认识，一旦有机会刮去一点浮皮，看见底下的畏缩，怕痒，可怜又可笑的男人或女人，多半就会爱上他们最初的发现。

张爱玲就亲眼见了一对男女去领结婚证的过程——“男的是医生，在平日也许并不是一个‘善眉善眼’的人，但是他不时地望着他的新娘子，眼里只有近于悲哀的恋恋的神情”。

这样子的恋爱与结婚于那时的港人是“有益无损”的，只是“到底是青年的悲剧”。

不同的是，有些青年的悲剧在于，他们想从历史的泥沼中拔出泥腿而不能。张爱玲的笔下，《烬余录》里的乔纳生便是这样一个人。

张爱玲的清醒也并非是彻底的。

休战后，张爱玲到大学堂临时医院做看护。在临时医院收治的病人中，除了少数的普通病人外，大多是被流弹击中的苦力或者被捕时受伤的趁火打劫者。于这些人，她并没有过多的同情。平时的工作除了“时间特别长”、要“上夜班”之外，也无外乎就是喊上一嗓子“二十三号要屎乓”之类的。

大多时候，她和其他的同事们可以“坐在屏风背后看书”，而且还有宵夜吃（“特地送来的牛奶面包”）。在那个时候，能够有这样的条件已经很值得庆幸了。然而张爱玲却生出了“唯一的遗憾”——“病人的死亡，十有八九是在深夜”。

她的冷漠与无情在一个“尻骨生了奇臭的蚀烂症”的病人身上恐怕是表露到了极致。这个病人痛苦到了极点，整夜都在叫唤：“姑娘啊！姑娘啊！”她不理。他呻吟：“要水。”她告诉他厨房里没有开水，然后走开，而她却还有牛奶喝。她嫌煮奶的黄铜锅“腻着油垢，工役们用它殿汤，病人用它洗脸”。这个病人死了，她和大家一起“欢欣鼓舞”，将后事交给有经验的职业看护，便缩到了厨房里，吃着同伴用椰子油烘烤的小面包。

说起这件事，张爱玲坦言：“我是一个不负责任的，没良心的看护……我们这些自私的人若无其事地活下去了。”

想来也可以理解。那个时代的人恐怕大都是这样，不得不在现实面前低头，谨守着微不足道的清醒来明哲保身。

因此，当我们看到她说“我们立在摊头上吃滚油煎的萝卜饼，尺来远脚底下躺着穷人青紫的尸首。上海的冬天也是那样的罢？可是至少不是那么尖锐肯定。香港没有上海有涵养”时，看似是矛盾的，其实都是那个时代在人们的内心和人性上烙下的印记。

这样的年代里，人的普通被看穿了，怕就能算是传奇年代的传奇了吧。表达这样的普通，张爱玲不惜笔墨。

时代的车轰轰地往前开。我们坐在车上，经过的也许不过是几条熟悉的街道，可是在漫天的火光中也自惊心动魄。就可惜我们只顾忙着在一瞥即逝的店铺的橱窗里找寻我们自己的影子——我们只看见自己的脸，苍白，渺小；我们的自私与空虚，我们恬不知耻的愚蠢——谁都像我们一样，然而我们每人都是孤独的。

初回上海

上天的仁慈在那个动乱的年代似乎也有了些许动摇。

战争是无情的，它能轻易摧毁一个人的生命，也能不费吹灰之力就让一个人抛掉尊严，至于其他的追求和奢望，显然是没有存在的土壤的。1941 年，女作家萧红病死于香港医院，随着她年仅 31 岁的鲜活生命一同去的还有她的“不甘”——“半生尽遭白眼冷落……不甘，不甘”。

香港沦陷了，香港大学变成了临时医院。张爱玲的港大学业与海外求学理想也随之终结。于是，她不得不选择重新回到上海。

1942 年夏天，张爱玲与炎樱一起回到了她自己以为可以永不再回的上海，三年的香港大学学业戛然而止，无奈和遗憾自然不必说，但这几年的生活显然将张爱玲改变了很多。在姑姑与弟弟的眼中，她变得优雅了，时尚了。

此时的她，长发披肩，高挑清瘦，服饰打扮也比去香港前有了惊人的变化。她开始喜欢突兀的风格，并在此后很长一段时间里保持了下来。弟弟见她穿的布旗袍都是一种款式，几乎没有领子，底子是大红颜色，上面还印着蓝色或白色的大花，且两边没有纽扣。穿的时候就像外国衣服一样是钻进去穿的。

弟弟觉得稀奇。张爱玲倒是鲜有的自信：“你真是少见多怪，在香港这种衣裳太普通了，我正嫌这样不够特别呢！”张爱玲将在香港买来的广东土布做成了衣服，“仿佛穿了博物馆的名画到处走”，全然不顾这种十分艳丽的土布在乡下只有婴儿才穿。

还一个极端的例子是，有一次，张爱玲穿着前清样式的绣花袄裤去参加了一个同学兄长的结婚喜宴，震惊了满座客人！

这样倒也挺好，她的自信在这种特立独行的穿着中找了回来。好在一直以来，上海是包容的。

上海，对于张爱玲来说，并不陌生。“上海人是传统的中国人加上近代高压生活的磨炼，新旧文化种种畸形产物的交流，结果也许是不甚健康的，但是这里有一种奇异的智慧。”她对上海的情感也来自对上海人清醒而亲切的认识。所以，重新回到上海，对于张爱玲来说，情感上的融合是轻松的，基本没有障碍。

更何况，那时的上海是已经陷落了的香港不可比的。它是国际性的大都市，被誉为“东方的巴黎”。这里遍地霓虹，高楼林立，这里还有鱼龙混杂的乱世之梦。而这样繁华而喧嚣的城市，对于已经习惯了逛街、买东西、吃东西的张爱玲来说，无疑是个不错的地方。

只是，此时的张爱玲得知母亲已经乘坐难民船去了印度。之前，母亲的男友已经死在了新加坡的海滩。

于是，张爱玲便在姑姑的租住处暂时安顿下来——静安寺赫德路 192 号的爱丁顿公寓。

姑姑一直在外国人的机构里做事，始终做着“单身贵族”。虽然姑姑“对我们张家的人没有多少好感”，但她脾气随和，不乏幽默感，对张爱玲“比较好些”。所以张爱玲初回上海，姑姑的“公寓是最理想的逃世地方”。

乱世的人，得过且过，没有真的家，然而我对于姑姑的家却有一种天长地久的感觉。

和姑姑一起住的日子，张爱玲很满足。她喜欢姑姑房间的装修风格

——这是姑姑亲自设计的：客厅的壁炉、落地灯与沙发，连地毯都是姑姑亲自动手做的。所有这些都让人从内心里感到舒服和安稳，尤其是站在阳台上，能够俯瞰整个上海。在这里，张爱玲难得地过起了舒适的日子，她感觉自己的每一个毛孔是舒展的，所有的不开心都消失得无影无踪。她可以忘掉香港大学学业的中断，可以暂时不去想回到上海后学业如何继续，也可以忘掉母亲的离开。在这所房子里的日子静止了。

现在我寄住在旧梦里，在旧梦里做着新的梦。阳台上看见毛毛的黄月亮。古代的夜里有更鼓，现在有卖馄饨的梆子，千年来无数人的梦的拍板："托，托，托，托"——可爱又可哀的年月呵！

此后的很长一段时间里，张爱玲都是和姑姑住在一起的，前后有十年左右。

回到上海，各人开始忙自己的事情了。炎樱的运气不错，没多久就经人介绍进了上海的一所英国学校，任 prefect（相当于现在的辅导员）。不过当时 prefect 被称作学生长，是校方专门指派品学兼优、人缘好、有威信的人做的。后来，炎樱又顺利地进入圣约翰大学文学系，一直读到毕业。

相比之下，张爱玲的遭遇倒坎坷很多。

对于张爱玲来说，改变的已经改变，没改变的也还是老样子，她还要继续读书。刚回来时，弟弟赶来看她。在与弟弟谈起港战的零碎事时，张爱玲愤然道："只差半年就要毕业了呀！"这种愤然是可以理解的。之前，她将香港大学所有的文学类奖项拿了个遍，而战争却将她所有的努力都付之一炬。

她对弟弟明确表示，要去圣约翰大学继续学业，"至少拿张文凭"。而要继续大学学业，张爱玲将面临两个问题，一是寻找学校，二是筹集学费。

参加圣约翰大学的转学考试，应该是顺利的，至少想象中是这样。但意外的是，张爱玲的国文成绩居然没有及格。好在圣约翰大学对国文向来不重视，倒也顺利入学，只是被要求在入学后参加学校的一个国文补习班。后来，汪宏声听说这件事后，感觉“颇为愤愤”，不过，张爱玲自己倒无所谓，甚至还把这件事当成笑话说给弟弟听。

秋天，张爱玲与炎樱一起进入了圣约翰大学的文学系继续学业，弟弟张子静也考进了圣约翰大学经济系。

这对香港大学的姊妹花又携手来到了圣约翰大学，一如既往的默契。她们和以前一样一起吃东西，一起逛街，甚至还一起创业。她们都酷爱服装设计，所以曾在一家杂志登广告：“炎樱与张爱玲姐妹合办时装设计：大衣、旗袍、背心、袄裤、西式衣裙。电约时间：电话三八一三五，下午三时至八时。”

这样的生活只维持了两个月。

张爱玲想退学。弟弟子静来问，她只说是圣约翰没有几个好教授，设置的课程都是自己不感兴趣的，“还不如到图书馆借几本书回家自己读”。而事实上，张爱玲退学是因为没有钱了。

那时的姑姑经济状况也不好，拿不出多余的钱支持她继续学业。她回到上海时，姑姑给她接风的饭菜是葱油饼，并解释道：“我现在就吃葱油饼，省事。”张爱玲心里明白，姑姑是真的没钱。

看到姐姐的窘境，弟弟张子静寻了合适的机会和父亲张廷重提及了姐姐遇到的困难。也许是对自己当初的行为感到后悔，也许是愧疚于港大三年一分钱学费未提供，父亲终究答应了弟弟的请求：“你叫她来吧。”这样，去见上一面是必需的了，尽管张爱玲心里是极不乐意的。

几年前的那个深冬，从那幢噩梦一样的房子里逃出来，孤身站在街头回望，所有的情景如电影一样在张爱玲的脑中回放。这时的父亲已经和后母搬到一处小巧的洋房居住了。如今要回到他身边伸手要钱，张爱玲心里的自尊在反复煎熬。这种感觉很折磨人，与当初问母亲要钱的感觉还不一样，从母亲那受的是难堪，父亲这却是耻辱。而如今为了继续学业，张爱玲也顾及不了那么多了，她接受了姑姑与弟弟的建议。

她去了那个小巧的洋房——是父亲与后母的也是她的陌生的家。知道张爱玲要来，孙用蕃早早避开了。张爱玲向父亲说明情况，淡淡地掩饰了所有感情，也忘记是否行了起码的礼仪。父亲与张爱玲之间的对话不多，虽有愧疚却仍稳稳端着大家长的架子。

十分钟的谈话却感觉出奇地漫长。父亲对她说："学费我再叫你弟弟送去。"而她"神色冷漠，一无笑容"，坚决拒绝了他的"招安"。好在最后，钱还是给了的。

张子静后来的回忆也没有过多提及——"那是姊姊最后一次走进家门，也是最后一次离开。此后，她和父亲就再也没有见面"。

而张爱玲没有想到，她与父亲的缘分竟是在完成一次施予后的句点。她和父亲对他们之间的血缘亲情都没有过多的留恋。这算是从香港回到上海后，张爱玲做的第一件大事了。

声名鹊起

在弟弟张子静的记忆里，张爱玲曾经说过这样一段话——“积累优美的词汇和生动语言的最佳方法就是随时随地留心人们的谈话。不管是在路上、车上、家里、学校里、办公室里，一听到就设法记住，写在本子里，以后就成为你写作时最好的原始材料。”在张子静看来，这样的话说明了姐姐很早就做好了写小说的准备。

当时为了继续在圣约翰大学的学业，张爱玲不得不寻找赚钱的活计，贴补学用。父亲的钱虽仍有剩余但并非自己情愿。于是，弟弟建议：“你可以去找个教书的工作。”

爱玲摇头：“不可能。”

“你英文、国文都好，怎么不可能呢?”

爱玲仍是推辞：“这事我做不来。”至于原因，她说是因为自己不善于表达。她对自己的认识倒也清醒，性格内向，与人打交道并非所长，更何况是叽叽喳喳的中学生?

弟弟不放弃：“那么，到报社当编辑如何?”

略微想了想，张爱玲平静而自信地告诉弟弟：“我替报馆写稿就好，这阵子我写稿也赚了些稿费。”

不能不说，上海是张爱玲的福地。虽然她的血管里流淌着河北的、安徽的、湖南的血，可是她的根在上海，因为她的肉体诞生于此。

学生时代的张爱玲对小说并不感兴趣，而是喜欢看电影、戏剧和话剧。那时的上海电影市场几乎被好莱坞电影垄断，几乎每天都上映一部。20 世纪 30 年代初，本土的电影开始崭露头角，迎来复苏的春天。种类繁多的大量电影大大满足了张爱玲的爱好。

好莱坞一线明星——嘉宝、克劳馥、邓波儿、费雯·丽——的片子，张爱玲每部必看；中国一线演员——阮玲玉、谈瑛、陈燕燕、顾兰君、上官云珠、石挥、蓝马、赵丹——主演的片子，张爱玲也是一部不落。

受父亲的影响，张爱玲对传统的京剧、评剧和绍兴戏也很喜欢，她还看过越剧《借红灯》。1937 年，中日战争爆发，上海成为孤岛。原先的美国、苏联片源几乎断了，国产片也因为胶片不足陷入低潮。而此时的话剧趁势崛起，张爱玲便将兴趣转移到话剧上，先后看过《雷雨》《日出》《大马戏团》《秋海棠》和《浮生六记》。这些电影、戏剧和话剧为张爱玲以影评与剧评向文坛进军提供了丰富而扎实的准备。

1942 年 11 月，张爱玲向英文报《上海泰晤士报》投稿，全是用英文写的影评和剧评，并从此踏进了文坛。而之所以选择《上海泰晤士报》，恐怕与她 17 岁时向《上海泰晤士报》投过一篇影评有关，也算是一个习惯养成和延续。

之后，张爱玲又向德国人办的英文杂志《二十世纪》投稿。《二十世纪》是一份综合性刊物，其主要读者是那些当时在亚洲的西方人。《二十世纪》的主编克劳斯·梅涅特是一位德国人，对中国很熟悉，他可称得上是张爱玲的第一位伯乐。

1943 年初，张爱玲在《二十世纪》发表了第一篇文章——《中国人的生活和时装》。全文长达 8 页，洋洋万言，文字略带维多利亚末期的风范，优雅流畅。文章以一个中国女子的视角，将从古代至清朝再至当代的中国人尤其是中国女人的着装，用一种近似调侃的文笔予以展示。文章还配有张爱玲自己所绘的12幅发型及服饰插图。如今想来，克劳斯·梅涅特读后肯定惊讶极了，所以才由衷地发出了“她有能力向外国人诠释中国人”的感叹。他在当期的编者按中，不吝美词——“如此有前途的青年天才”，向读者正式推介作者张爱玲。

此后，张爱玲一鼓作气，又接连在《二十世纪》上发了十多篇文章，其中大部分为影评，如：《婆媳之间》《鸦片战争》《秋歌》《乌云盖月》《万紫千红》《燕迎春》《借银灯》；也有散文，如《中国人的宗教》《洋人看戏及其他》。这些文章均获得了不错的反响，赢得了读者的认可和喜爱。

张爱玲的英文文章之所以大受欢迎，克劳斯·梅涅特做了这样的解读——“与她不少中国同胞差异之处，在于她从不将中国的事物视为理所当然；正由于她对自己的民族有深邃的好奇，使她有能力向外国人诠释中国人”。后来，张爱玲将自己很多英文作品都翻译成了中文，收入在散文集《流言》中。其中，那篇著名的《中国人的生活和时装》在《流言》里被稍作变形，更名为《更衣记》。

英文写作一炮打响。张爱玲除了争取到经济的自由外，自信心也大大增强了。

一次，张爱玲带着黄岳渊的引荐信，拜访了当时上海滩赫赫有名的鸳鸯蝴蝶派作家周瘦鹃先生。在介绍了自己目前除了一篇散文《我的天才梦》之外，只卖过“西”文后，张爱玲递给这位“哀情巨子”周瘦鹃先生一个纸包。里面是两个中篇小说的文稿，第一篇叫《沉香屑：第一炉香》，第二篇叫《沉香屑：第二炉香》，分别描写了两段香港的故事。

周瘦鹃觉得很别致，于是将两本小说留了下来。是夜，在弥漫着清香的紫罗兰庵里，周先生读了这两本小说。小说的开篇——“请您寻出家传的霉绿斑斓的铜香炉，点上一炉沉香屑，听我说一支战前香港的故事。您这一炉沉香屑点完了，我的故事也该完了”——瞬间将这位“哀情巨子”深深地吸引住了。若不是白天刚刚见过，实在难以想象如此凝练的文字居然出自一位如此年轻的女子。小说对世事人情的洞察非常到位，周先生忍不住屡屡击节。

世上的巧事便是如此。周瘦鹃正想复刊《紫罗兰》，两炉香与它们的作者张爱玲便适时出现了。一个星期后，张爱玲来到周家等待回音。周瘦鹃先生开门见山，直言好。

“你愿意把这两篇大作拿给《紫罗兰》发表吗?”

张爱玲一口答应。此时的她成名心切，更何况，周先生刚刚指出了自己喜爱毛姆作品，熟读《红楼梦》!

“好！待创刊后出来，我一定亲自登门。”

《紫罗兰》出版那天，周瘦鹃践约来到张爱玲姑姑的公寓。在那间精巧、别致的会客厅里，周瘦鹃、张爱玲与姑姑张茂渊三人畅谈。临走时，张爱玲将自己在《二十世纪》刚发表的《中国人的生活和时装》送给了周瘦鹃。

从公寓里出来，周瘦鹃回头看着那幢普通的房子。那一刻，他似乎预见到了这里将会诞生一位不平凡的女人。果然，小说在《紫罗兰》上发表后，读者的反响极为强烈，人们纷纷猜测这位“从天而降”的“张爱玲”是何许人也。

自此，张爱玲在中文文坛展示了飒爽风姿，开始施展拳脚了。

没过多久，上海福州路画锦里附近的一个小弄堂里，《万象》编辑室里的柯灵先生看着《紫罗兰》出神，他也被两炉香吸引了。柯灵，先后编过《文汇报》副刊《世纪风》，《大美晚报》副刊《浅草》，《正言报》副刊《草原》等。上海沦为孤岛后，柯灵一直试图在文化废墟中保留一块园地，让新文学得以生存，于是便有了《万象》。

他要把《万象》办成一本新文学杂志，此时，“张爱玲”这个名字一下子就映入了柯灵的眼帘，再也拔不出来了。

正在他想着怎么邀请这位“张爱玲”时，张爱玲居然不期而至。

轻轻的敲门声，丝质的碎花旗袍和肋下夹着的一个报纸包，在柯灵看来，一切都是那么完美。而张爱玲是来请教的，他们的谈话简短而愉快。随即柯灵诚恳地向张爱玲约稿，张爱玲爽快答应。此后，张爱玲在《万象》上发表了《琉璃瓦》《连环套》。

柯灵曾言：“张爱玲在写作上很快登上灿烂的高峰，同时转眼间红遍上海。”

而张爱玲的成名，《万象》无疑起到了推波助澜的作用。

1944 年，《万象》上发表了一篇署名“迅雨”的评论文章《论张爱玲的小说》。“迅雨”即著名的翻译家、文学评论家傅雷。傅雷先生在文中对张爱玲的艺术技巧给予了高度评价，肯定《金锁记》是“张女士截至目前最完满之作”。傅雷对张爱玲的写作技巧推崇至极：“我们的作家一向对技巧抱着鄙夷的态度。‘五四’以后，消耗了无数笔墨的是关于主义的论战。仿佛一有准确的意识就能立地成佛似的，区区艺术更不成问题。”

让张爱玲真正在上海滩乃至全国文坛奠定地位的，则是《杂志》。《杂志》是一本“日伪”刊物，一直宣称要走纯文艺路线。但是，因为《杂志》的后台是日本领事馆，所以它的实力是当时其他文学刊物无法匹敌的。虽然张爱玲素来远离政治，但无奈其成名心切，所以她并没有在意《杂志》的背景，在上面发表了很多作品——《倾城之恋》《金锁记》《红玫瑰和白玫瑰》，还有一系列的精彩散文。

1943 年到 1944 年，张爱玲在上海滩的各种杂志上发表了大量作品，终于在文坛上占据了一席之地，与苏青、潘柳黛和关露并称“文坛四大才女”。

此时的张爱玲，正如香港作家李碧华所言——“文坛寂寞得恐怖，只出一位这样的女子”。

中国文坛的一颗新星已经冉冉升起！

第三章　倾城之恋

『当她见到他，她变得很低很低，低到尘埃里，但心是欢喜的，从尘埃里开出花来。』在倾覆的城里，他们不期而遇，心灵的碰撞让她以身相许，然而他的张狂、他的多情、他的薄情，让她不得不转身，任凭心在背后碎了一地……

兰成出现

在这个世界上总有一个人是等着你的，不管在什么时候，不管在什么地方，反正你知道，总有这么一个人。

胡兰成，生于1906年，原名蕊生。他的祖父胡载元是茶栈老板，是当地的富户。父亲胡秀铭继承家业后，家道中落沦为普通农民。

胡兰成的求学经历也颇为坎坷。高小毕业后先上了绍兴第五中学，一个学期后因学生闹学潮而辍学，后又考入教会学校杭州惠兰中学。在惠兰读了四年后，因编纂校刊与教务主任起冲突而被开除。后来考取了杭州邮务局的邮务生，从此就没再接受过常规教育。邮政人员在当时也算比较安稳的职业，可惜才一个月的时间，他又因指斥局长“崇洋媚外”而被开除。

21岁的胡兰成为谋出路，去了北平，在燕京大学校长室抄写文书，同时旁听学校的课程。虽然他在燕京的时间不长，却学到了很多东西，大大开阔了他的视野，为其日后的政界生涯奠定了基础。

1932年，胡兰成返乡，发妻唐玉凤恰在此时去世，家中无力下葬。他四处苦苦告贷，竟求助无门，还饱受奚落和鄙夷。此事对他刺激甚深，他后来回忆说：“我对于怎样天崩地裂的灾难，与人世的割恩难爱，要我流一滴眼泪，总也不能了。我是幼年时的啼哭，都已还给了母亲，成年的号泣，都已还给了玉凤，此心已回到了如天地之不仁！”他再次深刻体会到了人世间的淡漠与薄凉。

1936 年，“两广事件”发生，广西的桂系第七军发动兵谏，要求中央政府抗日。胡兰成受第七军军长廖磊之聘，兼办《柳州日报》，在报纸上发表鼓吹兵谏的文章，开始崭露“政论一支笔”的头角，引起各方注意。然而，“两广事件”旋即受挫，胡兰成遂被牵连入狱，监禁了一月有余。

不过，这次的文字贾祸，却让他因祸得福，出现了好的转机。当时，有汪派背景的《中华日报》邀他为撰稿人，他便奔赴上海就职。不久，他有两篇经济文章被日本《大陆新报》译载。这一来，引起汪系高度重视，遂将他擢升为《中华日报》的总主笔。

自此他成了汪系的得力骨干，地位也日益提升。汪伪政府在南京成立后，他先后担任“中央执行委员”“宣传部政务次长”“行政院法制局局长”，还曾担任过汪精卫的侍从秘书，可直接向汪本人进言。汪精卫对他颇为赏识，称呼他为“兰成先生”，常向他“殷殷垂询”。他俨然成了汪精卫嫡系“公馆派”中的栋梁，在汪政府中的地位，甚至要远远高于著名的“文胆”陈布雷在蒋介石那里的分量。

从此，胡兰成尽情发挥着自己的才气，不遗余力地为侵略者与汉奸摇旗呐喊。当时，这份亲日报纸所有的社论皆出自于胡兰成。一时间，胡兰成出人头地了，被统治者青睐有加，风光无限。他的野心一步步膨胀，总主笔已经不能满足内心对更大成功的渴望。于是，他越过了汪精卫，直接勾搭上了日本主子。正在等待着新主子嘉奖的胡兰成，等来的是旧主子汪精卫的牢狱之灾。

他直把汪伪当做“新朝”，以“布衣卿相”而沾沾自喜，在 20 世纪 70 年代写《今生今世》时，还津津乐道于“和平运动时位居第五”的荣耀。

后来，胡兰成在汪伪政府失势，又通过日本使馆的官员清水、池田笃纪，与日本军界对战争前景不乐观的少壮派频繁接触，又把他攻击汪伪、预言日本必败的文章翻译成日文发表，引起了一些日本军人的瞩目。此时，汪精卫因日军在战场上已渐露战败之相，与日本人正在互相猜疑之间，见此类文章发表，大为震怒，将胡兰成逮捕入狱。入狱后，胡兰成一度绝望，以为此番性命将不保，后来在日本军人的强力干预下，方获释放。

他与张爱玲的遇见，就在这获释不久之后，在南京休养之时。

胡兰成陷入了“事业”的低谷期。此时，他的境遇引起了一个年轻女子的共鸣。这个女子就是才气四溢，已然蜚声文坛的张爱玲。

在苏青处得知胡兰成的境遇后，由己及彼，张爱玲十分同情他。在张爱玲的内心里，她第一次为一个男子的生死牵挂了一回。她陪同苏青一起到周佛海家为胡兰成说情。虽未见明显效果，但在内心里为这个男子是真真正正地动了一次芳心了。

没过多久，胡兰成认识了日本军政要人，并建立了亲密的关系。无论如何，日本主子的面子，汪精卫是要给的。于是，胡兰成从监狱里出来了，回到了南京的家中赋闲养病。

南京石婆婆巷20号住宅的院子草地上，胡兰成在一个冬日昏昏的阳光里，躺在藤椅上，看着苏青给他寄来的《天地》。这一期的杂志上，有张爱玲的一篇小说——《封锁》。

于是，他也知道了她的存在。世界上的事情就是这样，永远也说不清。原来两个完全没有联系的人，因了历史的机缘，有了联系。

“这跟当前的问题又有什么关系？”她冷冷地道：“哦，你打算娶妾。”宗桢道：“我预备将她当妻子看待。我——我会替她安排好的。我不会让她为难。”翠远道：“可是，如果她是个好人家的女孩子，只怕她未见得肯罢？种种法律上的麻烦……”宗桢叹了口气道：“是的。你这话对。我没有这权利。我根本不该起这种念头……我年纪也太大了。我已经三十五了。”翠远缓缓地道：“其实，照现在的眼光看来，那倒也不算大。”宗桢默然。半晌方说道：“你……几岁？”翠远低下头去道：“二十五。”宗桢顿了一顿，又道：“你是自由的吗？”翠远不答。宗桢道：“你不是自由的。即使你答应了，你的家里人也不会答应的，是不是？……是不是？”

这样的文字，溢满了浓浓的碧玉女儿家的羞怯，也展现了现代女子的大胆追求。对于与宗桢一样既有着一段婚姻，又要寻求婚外的刺激与爱情的浪漫的胡兰成而言，简直就是从天而降的“女性知音”。在这样的文字中，他找到了男性的阳刚之力，也知道了什么样的女性才会是这种力量之源。

于是，他们的邂逅已经是不可避免了。

胡兰成一读再读，简直不能抑制内心的冲动，“张爱玲”三个字已深深地印在了他的脑海里。但是，他终究是忍住了。随后，在另一期的《天地》中，胡兰成看到了张爱玲的另一篇散文，还有那一期上刊印的张爱玲自己也很满意的照片。刹那间，胡兰成似乎明白了“文如其人”大概就是这样的。

冷静下来后的胡兰成不觉思量，这样的世界怎能有这样的奇迹。在这个奇迹面前，自己似乎变得单纯了、纯粹了、勇敢了，不再是人人唾骂的“汉奸”了。他不相信世界上真的能有如此强大的力量竟然能将一个魔鬼从魔鬼群中生生地拽出来。他要找鲜活的证据。于是，他冒昧地找到了苏青。

1944 年 2 月，胡兰成离开南京，结束了赋闲的生活，回到上海。他是要重出江湖的。但是，第一件事，他要满足深藏在内心的欲望。

胡兰成一下火车，撇开上海妻室不见，径自来到了苏青的住处，寻找那个鲜活的证据。苏青告诉他，张爱玲是不见人的，但拗不过胡兰成的百般求索，迟疑着将张爱玲与姑姑同住的地址告诉了他。胡兰成如获至宝。

第二天，胡兰成便来到了静安寺路赫德路口。除了在日本主子面前的，在其他地方已经多年没有过的惴惴不安此刻涌上了心头。他要寻找的是那个鲜活的证据，以证明这个世界真的有那样一个奇迹，可以让自己变得单纯，纯粹而勇敢的奇迹。

可是，首次登门并未见面，张爱玲不见生客。

他一袭长袍，彬彬有礼，站在赫德路公寓65室紧闭的门外，门里一个温柔而平静的女声响起："你找谁?"

胡兰成说："想见张爱玲小姐，是从南京慕名而来的读者。"

门里迟疑了一阵，说道："爱玲身体不适，不见客人。"

张爱玲的姑姑替她挡了陌生人的驾。

胡兰成在字条上写下了自己的名字和电话号码，从传信口里把字条递了进去，里面有人接过。他便缓缓离开，下楼去了。

缘分来临之际，被人为地阻止了。似乎，这样的缘分将以这样的休止符永远暂停于此。

然而，剧情的发展一如所有人所料，它开始朝着人们预期的方向发展了。

一日后，午饭刚毕，胡兰成接到了张爱玲打来的电话，说要来看他。这在受过西方教育的张爱玲而言，并非超常之事，倒更像是礼节性的回访。

胡兰成的家在大西路美丽园，离张爱玲姑姑的住处不远。很快，张爱玲便如约而至，对时间的遵守一如西方人一样刻板。

初次见面，并没有金风玉露一相逢般的电光石火，二人只是彼此的诧异。胡兰成只说"一见张爱玲的人，只觉得与我所想的全不对。她进到客厅里，似乎她的人太大，坐在那里又幼稚可怜相，待说她是个女学生，又连女学生的成熟亦没有"。"她的神情，是小女孩放学回家，路上一人独行，肚里在想什么心事，遇见小同学叫她，她亦不理，她脸上的那种正经样子。”

杂志刊登的张爱玲照片并非正面，面容显得温婉柔弱，而张爱玲本人个子很高，衣着又有些怪异。“张爱玲顶天立地，世界都要起六种震动，是我的客厅今天变得不合适了。”

胡兰成的侄女胡青芸，多年以后，她说起过当年的印象：“张爱玲长得很高，不漂亮，看上去比我叔叔还高了点。服装跟人家两样的——奇装异服。她是自己做的鞋子，半只鞋子黄，半只鞋子黑的，这种鞋子人家全没有穿的；衣裳做的古老衣裳，穿旗袍，短旗袍，跟别人家两样的……”

近距离看胡兰成，张爱玲的眼睛里终于生出了多年未曾见过的喜悦，那是一种源自内心的情感。站在那儿的胡兰成，身材那么修长，倜傥风姿；坐下来的胡兰成，口若悬河，滔滔不绝。他是那么地才气四溢，他是那么地温文尔雅，他对她是那么地彬彬有礼而温柔有加：“你这样高，这怎么可以?”一颦一句中，他将他的善解人意与对女人的懂得，用他的吴侬软语涓涓地流淌进张爱玲静静聆听的耳朵里和心房里。

38 岁的胡兰成的情感经历并不逊色于他的社会阅历。他确实是一个文人，有着文人共同的特点，始终在追求着新鲜的爱情与新鲜的恋人。他见到她时，并不觉得她有多么漂亮。但是，在亲眼见到张爱玲后，之前的关于美的定义与想法轰然倒塌，他觉得自己一下子便陷入了对崭新爱情的追逐中了。张爱玲的瘦、张爱玲的高、张爱玲楚楚可怜的学生相在她的练达文字面前，在她对世事的洞察面前，在她自己剪裁的漂亮紧身衣服面前，瞬间变成了美好。她的所有一切是那么矛盾，又是那么和谐；她的外形是那么娇弱，文字却是那样凝练；她看上去是那么单纯不问世事，文字里却满是对世事的清晰洞察；她的身材是那样地瘦而高，却能自己裁剪出如此贴身的美丽衣服。瞬间，她的一切在他那里全变成了关于美的代名词。

“我一直想着，男子的年龄应当大十岁或是十岁以上，我总觉得女人应当天真一点，男人应当有经验一点。”张爱玲此时的想法竟与胡兰成呼应了起来，天衣无缝，竟也是全然不顾此时的屋檐下，还有胡兰成妻子、女儿的存在。

胡兰成的成熟与才情震慑住了张爱玲。他是那样地人情练达，他是那样地成熟稳重，他是那样地风情万种，他是那样地可爱与快乐。在他的面前，满腹才情的年轻女作家张爱玲愿意静静地坐着，听着他的高谈阔论，听着他的口若悬河与纵横捭阖。听着他讲话，她觉得自己能够安静下来，心能够宁静。她觉得，那是一种享受。

这样子的心心相印总没有辜负她的“爱是热，被爱是光”。

时针不知不觉中悄悄地转过了五个回合。他们的第一次见面，相见恨晚，竟至于时光的流转是那样无情。

从品评时下流行作品，到询问张爱玲每月写稿的收入，他谈了对当时流行作品的批评，谈了张爱玲的作品好在哪里，又谈了他自己在南京的事情。在这种知己气氛的叙述中，胡兰成忽然找到了真正的自我。这期间，胡兰成说的居多，而张爱玲更像是一个忠实的倾听者。在张爱玲看来，胡兰成“眉眼很英秀，国语说得有点像湖南话。像个职业志士”。这五个小时，让二人的关系发生了质的变化：从陌生，到懂得；从疏离，到认可。

虽为初见却并不感觉唐突，这或许就是日后如张爱玲本人所说，“因为相知，所以懂得”，两人已有了知交之感。

他们之间没有俗人那躲躲闪闪的冗长的预热，几乎是从一开始便进入了热恋的阶段。

第二天傍晚，胡兰成回访了张爱玲。这一次的见面又带给他截然不同的感受。胡兰成形容说：“她房里竟是华贵到使他不安。三国时刘备进孙夫人的房间，就有这样的兵气。”那天，张爱玲穿了一件宝蓝绸袄裤，戴了嫩黄边框的眼镜。多年后，胡兰成对这些细节都有着清晰的回忆。可见，感情在萌生之时都是真实存在的，只是随着世事变迁，都飘散而去了。

他们的交谈依然是愉快的，可是却也有了若隐若现的交锋与和盘托出。他们的观点开始碰撞，他们的背景开始互相交代，他们向彼此敞开心扉。

为讨得爱玲欢心，胡兰成与张爱玲说起了她祖父张佩纶与祖母李菊耦的故事，告诉了她祖父母当年以诗为媒的佳话。张爱玲便开心地将两首诗抄给胡兰成。她平静地向他说起了家族的由盛转衰。她告诉他自己更渴望平稳真实的人生，甚至以“刳肉还母，剔骨还父”来形容决心。这样的态度让出身平凡的他泰然。他不再窘迫，不再觉得出身带给自己的低微让自己在她面前抬不起头。他觉得，与她是平等的了，没有了背景的差异。

这个 38 岁的男人当晚回家，激情难抑，挥笔书就新诗一首、书信一封，评她的人与文。与张爱玲的惺惺相惜让胡兰成轻易便切中要害。

张爱玲的回信翩然而至——因为懂得，所以慈悲。

从见面后，胡兰成每天都去看张爱玲。某天，他向张爱玲提起刊登在《天地》上的照片，张爱玲便取出来送给他，还在后面题上几句话：“见了他，她变得很低很低，低到尘埃里。但她心里是欢喜的，从尘埃里开出花来。”在经历了多年的寂寞苦涩之后，张爱玲等到了要等之人。这人出现了，她心动了，愿意为他低至尘埃中。

因为懂得

于千万年之中，时间无涯的荒野里，没有早一步，也没有迟一步，遇上了也只能轻轻地说一句：“哦，你也在这里吗?”

张爱玲，世人眼中皆知其才华灼灼，却难知其心性淡漠。在漫漫无涯的岁月长河中，她以自己的方式在倾听，在观看，在等待。繁华的外在无法弥补内心的寂寞，喧嚣的生活不能寄托空旷的期待，唯有那个人，终于出现了，感知到了她的寂寞和期待，于是如天边云朵印入波心，如沙砾般坠入湖面，顷刻间，平静不再，千言万语化作层层涟漪。因为，彼此懂得。

胡兰成的办公地点在南京，由于分隔两地，他大概每个月回一次上海，每次留住八至九天。这种双城生活不仅没有令二人之间的感情降温，反而拉近了彼此的距离，让思想发酵，别有一番滋味。胡兰成每次回上海，都不着急回自己的家，而是径直赶到赫德路去看张爱玲。

沦陷时期的上海，人们对日寇的横暴怀有仇恨，且都坚信恶人来日不多。张爱玲的姑姑大概曾经就此事和其谈了。姑姑认为与胡亲近有不妥之处：一是此人背景污浊，应谨慎并敬而远之为好；二是此人已有妻室家小，与他交往不合时宜。姑姑的话，是现实的，张爱玲做不到置之不理，她感到凄凉。无奈中，张爱玲给胡兰成送去了一个纸条，纸条上只几个字：“你不要来见我了。”胡兰成不知原因，于是也不理，还是照常去了张爱玲那里。

张爱玲正在恍惚中，忽听得电梯一阵响，有人走过来敲门。

她犹豫着，开了门。

张爱玲见了胡兰成，又是欢喜又是愁苦，纠结不已，却也不再拒绝。此后，胡兰成索性天天都去张爱玲那里，两人关系已近于公开化。

胡兰成来了就在客室里关着门和张爱玲聊天，张爱玲则坐在胡兰成的一侧，隔得远远地听他讲，“永远看见他的半侧面，背着亮坐在斜面的沙发椅上，瘦削的面颊，眼窝里略有些憔悴的阴影。弓形的嘴唇，边上有棱”，这是张爱玲对他的描述。

每次胡兰成走后，都要留下一烟灰盘的烟蒂。张爱玲会把烟蒂都收集起来，装在一个旧信封里，下次胡兰成来时就拿给他看。胡兰成自是会心一笑，细细心事缱绻于这小小的举动中。

胡兰成起初还是小心翼翼的，每次来都问：“打搅了你写东西吧?”后来，两人逐渐熟悉。他看见张爱玲吃住都在这间房里，太过简朴，就笑道：“你还是过的学生生活。”由此两人说到了生活贫富的问题。张爱玲曾说：“我不觉得穷是正常的。家里穷，可以连吃个水果都成了道德问题。”

胡兰成叹道：“你像我年轻的时候一样。”他说起自己年轻时，曾爱上一位同乡的“四小姐”，她要去日本留学，本来可以一块儿去，可是不了了之，胡兰成一笑：“要四百块钱——就是没有。”

几天来，胡兰成不光跟她讲生活中的小事，也讲理论。不过，张爱玲觉得他的理论往往会有“愿望性质的思想”，一厢情愿地把事实归纳到一个框框里，对中国农村也有太多的理想化，不过是怀旧而已。

有天晚上胡兰成要回去了，张爱玲起身送他。胡兰成双手按在她的手臂上笑道：“眼镜拿掉它好不好?”

张爱玲会意，笑着摘下眼镜。胡兰成吻了她。

“这个人是真爱我的。”在后来的《小团圆》和《色戒》里，这句话，一直作为男女感情飞越的见证。

第二天晚上，胡兰成应付了外面的饭局才来，张爱玲给他端茶时，闻见了他身上的酒气。

谈了一会儿，胡兰成就坐到了张爱玲的身边，直截了当地问："我们永远在一起好不好?"

昏黄的灯下，张爱玲靠在沙发背上，转过头微笑地望着他："你喝醉了。"

"我醉了也只有觉得好的东西更好，憎恶的东西更憎恶。"他把张爱玲的手拽过来，看了看手掌心的纹路，笑着说："这样无聊，看起手相来了。"接着又重复了一遍，"我们永远在一起好吗?"

张爱玲问："你太太呢?"

他没有一丝迟疑，马上回答："我可以离婚。"

张爱玲暗暗想，那不知道要花多少钱。于是说："我现在不想结婚，过几年我会去找你。"

不想结婚，也许是因为当时的乱世，谁能预见几年后是什么样子? 胡兰成岂能不知? 于是微笑着没有作声。

接着，话题又转到了张爱玲的名字。胡兰成说："你这名字脂粉气很重，也不像笔名，我想着不知道是不是男人化名，如果是男人，也要去找他，所有能发生的关系都要发生。"

要离开了，胡兰成把张爱玲拦在门边，一只胳膊撑在门上，笑着看张爱玲。他终于只说了一句："你眉毛很高。"

胡兰成走后，张爱玲告诉姑姑胡兰成向她求婚了。姑姑说："当然你知道，在婚姻上你跟他情形不同。"

姑姑也不大说话，胡兰成的造访，姑侄俩其实都各有尴尬。张爱玲一向是不留朋友吃饭的，因为做饭要姑姑动手。可是胡兰成来，一坐就坐到晚上七八点钟，不留吃晚饭也成了一件窘事。再加上面对姑姑的窘，两面夹攻，张爱玲感觉快承受不了了。张爱玲"累的发抖，整个人淘虚了一样”，坐在房间里静静望着红红的炉火，思绪随着火苗起伏翻飞。她很想出门旅行一次，理清思绪，稍作缓解。

但当时世人并不能理解他们之间的感情，胡兰成浸淫多年的政治身份，圆滑与市侩的烙印，与张爱玲的贵族身份显得格格不入。同时，二人年龄差距大，那一年，胡兰成38岁，又有妻室，而张爱玲仅24岁。但是这一切并未影响张爱玲对胡兰成的认知。对于不闻窗外事的寂寞女子，敏感而又固执，一经决定，自然匪石匪席，此心不可逆。

“从尘埃里开出花来”

这是真的。

这个村庄的小康之家的女孩子，生的美，有许多人来做媒，但都没有说成。那年她不过十五六岁吧，是春天的晚上，她立在门后，手扶着桃树。她记得她穿着一件月白色的衫子，对门住的年轻人，同她见过面，可是从来没有打过招呼的。他走了过来，离的不远，站定了，轻轻说了一声：“噢，你也在这里吗?”她没有说什么，他也没有再说什么，站了一会，各自走开了。

就这样就完了。

后来这女人被亲眷拐了，卖到他乡外县去做妾，又几次三番被转卖，经过无数的惊险的风波，老了的时候她还记得从前的那一回事，常常说起，在那春天的晚上，在后门口的桃树下，那年轻人。

于千万人之中遇到你所要遇到的人，于千万年之中，时间的无涯的荒野中，没有早一步，也没有晚一步，刚巧赶上了，那也没有别的话好说，唯有轻轻地问一声：“噢，你也在这里吗?”

张爱玲这篇题为《爱》的散文，原型来自胡兰成的庶母，文笔灵动，却又透出隐隐的忧伤与沧桑。张爱玲在文中寄托了自己对爱情的感慨与遐想。人海中相逢，是一种偶然，然而，一旦偶遇的人正是自己期待的那个人，偶然就变成了宿命。聚散两茫茫之后，彼此在生命中留下的印迹是真实而又永久的，这就是爱。

张爱玲遇见胡兰成是欢喜的，她认定胡兰成就是那个人海中要与自己相遇的那个人。从初见时的诧异、拘谨，到如今的共鸣、相知，张爱玲更愿意在胡兰成面前吐露真心。从人生伦理到细琐的生活，从文学艺术到尘世凡俗，张爱玲与胡兰成皆无不可谈，妙语连珠。

胡兰成曾说张爱玲“把现代西洋文学读得最多”，时常将萧伯纳、劳伦斯等人的作品讲给他听，西洋画册和音乐张爱玲也能信手拈来，谈得别有情趣。同时，张爱玲对中国古典文学也颇为精通。此外，张爱玲读小说细致入微，又不拘泥于现状。如念到“燕赵有佳人，美者颜如玉，被服罗裳衣，当户理清曲”时，张爱玲对此中描述诧异不已。又读《子夜歌》，“欢从何处来，端然有忧色”，她便赞叹：“这端然二字真好，而她亦真是爱他！”

旧时男女间相赠照片，大多是爱情的表达，张爱玲在照片背面所附的一句话，更是验证了她对胡兰成的情感。这件事，在《小团圆》里也得到了印证：“这张照片，是在一个德国摄影师那里照的，特别贵，所以只洗了一张。”

当时张爱玲身边有两张新照的相片，拿给胡兰成看。因为照相时没戴眼镜，所以张爱玲觉得这才是自己的本来面目。见胡兰成喜欢，就送了他一张。

张爱玲对胡兰成是倾心的、顺从的、谦逊的。“变得很低很低，低到尘埃里”，又是纠结的。

当胡兰成向张爱玲表白后，张爱玲却没有正面答复他。随后的半月时间，原本天天来此的胡兰成均未出现。伴随着房间内空旷的静谧，张爱玲的内心起了波澜。

怎么没有来？懊恼了？有事情耽搁了？明天会出现吗？

时间在无声的期待中流逝，内心的纠结也在不停地盘旋。曾经的离群索居，曾经的淡漠冷清，都在那个所谓懂得自己的人出现的那一刻轰然倒塌。曾经的侃侃而谈与亲昵笑语仿佛仍在耳畔，只是一瞬间便变了模样。曾经温暖如春的房间一下子冷清了许多，随着一个人的消失不见，竟然也生出一丝荒芜。望眼欲穿的张爱玲恍如恋爱中的少女，充满期待的内心在不停张望门口的眼神中显现无遗。

张爱玲在这一时期写的一篇小说《年轻的时候》中有一句话，曾经透露了个中信息："谁不喜欢同自己喜欢的人来往呢?"

《小团圆》里说得就更明白："她崇拜他，为什么不能让他知道? 等于走过的时候送一束花，像中世纪欧洲流行的恋爱一样绝望……"

张爱玲个性清冷，识人均把情趣与气质放在首位。通过这一段时间的交往，张爱玲认为自己与胡兰成在学识上彼此相知，所以她对胡兰成的污浊背景并不介意。张爱玲自小与父亲隔阂颇深，又受到"五四运动"后流行的"弑父"思想影响，心里的叛逆倾向颇为明显。因此，在对胡兰成的认识上，外界虽有反对之音，张爱玲却不予理睬。曾经，在《花凋》里张爱玲讥讽她的自民国纪元起"就没长过岁数"的舅舅，在看待张爱玲与胡兰成恋爱问题上，也曾忧心忡忡："小煐怎么会和胡兰成在一起呢?"

其实，对于久经职场与情场的胡兰成而言，张爱玲此举无非是在欲擒故纵。他早就看清了自己在张爱玲心中的意义，他知道张爱玲对自己是认可和欣赏的。同时，更加重要的是胡兰成是了解张爱玲的。他了解张爱玲出身贵族的优雅精致，也了解她历经波折不幸的童年，以及由此而生的一些消极淡漠的思想。

张爱玲曾经说过女人在男人面前要谦逊，"那是女性的本质，因为女人要崇拜才快乐，男人要被崇拜才快乐"。她对胡兰成便是崇拜，也有顺从。张爱玲的头脑中仍旧有着根深蒂固的传统婚姻观念，她也在意名分，所以她不得不面对胡兰成有妻室这一现实。

但张爱玲原本生性清冷，傲气却也孤寂。她一向不以尘世的价值观去品评一个人，也没有政治时局的观念，所以胡兰成的身份问题也就无法变成他们之间的障碍。她在一封信中对胡兰成说："我想过，你将来就是在我这里来来去去亦可以。"也许她只在乎胡兰成当下对她的爱，其他的，她都不愿多想。

然而，真心一动，便不再洒脱。曾有一次，张爱玲说："你说没有离愁，我想我也是的，可是你上回去南京，我竟要伤感了。"后来，在《双声》中张爱玲也提及，在男女关系上"也免不了妒忌之心"。

张爱玲不像胡兰成那样无谓洒脱，她也像其他女子一样向往纯净美好的爱情，向往忠贞刻骨的不可替代的爱情。但同时，张爱玲又是高傲的、矜持的，她的自尊不容许她去勉强胡兰成，更不容许一段靠乞求得来的婚姻。她可以为爱低至尘埃，却断不能为世俗名分而委曲求全。只是，这孤傲的背后，她独自支撑的苦涩与苍凉，有谁能够感知和体会呢？

不能不再提她的那句话，"变得很低很低，但她的心里是欢喜的，从尘埃里开出花来"。皆因她欢喜，皆因珍惜懂得，所以某些事，某些人，张爱玲可以放低要求，放下自尊，可以视而不见，无奈而慷慨。

携手乱世

1944年8月，胡兰成的第二任妻子提出离婚。

终于，张爱玲与胡兰成结婚了。胡兰成担心日后时局变动，自己的经历和身份会拖累张爱玲，所以，没有走法律程序，也没有任何仪式，只有一纸婚书为凭，只有张爱玲的好友炎樱为证。

“胡兰成与张爱玲签订终身，结为夫妇。愿使岁月静好，现世安稳。”前两句出自张爱玲之手，后两句是胡兰成所撰。

婚后一段时间，二人的相处极为融洽。胡兰成对张爱玲的文学才华极为推崇，曾对张爱玲的散文与小说赞不绝口：“拿颜色来比方，则其明亮的一面是银紫色的，其阴暗的一面是月下的青灰色。”

胡兰成懂得张爱玲的文字：

是这样一种青春的美，读她的作品，如同在一架钢琴上行走，每一步都发出音乐。但她创造了生之和谐，而仍然不能满足于这和谐。她的心喜悦而烦恼，仿佛是一只鸽子时时要想冲破这美丽的山川，飞到无际的天空，那辽远的，辽远的去处，或者坠落到海水的极深去处，而在那里诉说她的秘密。她所寻觅的是，在世界上有一点顶红顶红的红色，或者是一点顶黑顶黑的黑色，作为她的皈依。

但如此多才的张爱玲在生活中却显得那样单纯而幼稚。因为喜欢忠于自己的内心喜好，张爱玲的衣着自然不会与人类似。有时，她会穿上带有绣花的短衣长裤，一副古典装束，无视于行人的侧目，独自在街上行走，兀自陶醉于曾在戏台上看到或从小说里读到的某个人物形象。有一次，胡兰成带张爱玲去参加一个宴会，张爱玲甚少出席此类活动，所以那天的张爱玲衣着怪异，加上她不善与人交流，让人感觉木讷，缺乏生气。而这一切，胡兰成是包容的，甚至是赞赏的，“她不是以孩子的天真，不是以中年人的执着，也不是以老年人的智慧，而是以洋溢的青春之旖旎，照亮了人生。这里有着她对于人生之虔诚”。

张爱玲最喜欢新派的绘画，胡兰成会经常带一些画册回去和她一起讨论。新派的绘画是把形体绘成图案，然后用不同的颜色来填充表达意境。张爱玲曾经给胡兰成看过她在香港时的绘画作品，把许多人形集中画在一幅画上，上面有嘴里念念有词的女人，有毕恭毕敬、柔顺的女仆人，势利尖刻的房东太太，妩媚妖娆的舞女等。张爱玲说因为当时没有纸，所以都画在一起，但恰恰是这样的一幅画却构成了颇有古典意味的图案。还有一幅画，是一位朋友替她涂的青灰色背景，张爱玲由衷地赞叹：“这真如月光一般。”一句话点出了深邃静谧的意境，也体现了她敏锐的色彩感受力。

张爱玲笔下的人生也是恐怖与罪恶、残酷与委屈的。读她的作品，时而悲哀，又怀着欢喜。在《金锁记》中的曹七巧，她的故事如一首悲歌，让人落泪，却也教会世人明白什么是爱。而《花凋》的女主角受了一生的委屈，委屈到死。而作者把她写成一个殉道者，以“永恒的爱，永恒的依依”作为她大理石墓的题词。

“这是泪花晶莹的世界，然而是美丽的。”

在《金锁记》里的长安，她的生命在极具完美之时，被她的母亲抹上一笔难堪的颜色。当她的爱人童世舫告辞的时候，写道：

长安静静地跟在他后面送了出来。她的藏青长袖旗袍上有着浅黄的雏菊。她两手交握着，脸上显出稀有的柔和。

世舫回过身来道：“姜小姐。”她隔得远远的站定了，只是垂着头。

世舫微微鞠了一躬，转身就走了。

长安觉得她是隔了相当距离看这太阳里的庭院，从高楼上望下来，明

晰亲切，然而没有能力干涉，天井，树，曳着萧条的影子的两个人，没有话——不多的一点回忆，将来是要装在水晶瓶里双手捧着看的——她的最初也是最后的爱。

张爱玲的文字中处处体现了“慈悲”的情怀，怜惜强者的软弱，给予弱者以康健与喜悦。人世的恐怖与柔和，罪恶与善良，残酷与委屈，均体现在她笔下纠结的人物内心里。她就是这样“因为懂得，所以慈悲”。

张爱玲曾经说“将来的世界应当是男性的”，即在《沉香屑》里提到的“那是个淡色的，高音的世界，到处是光与音乐”。在她孩提之时，就曾经想以隋唐的时代做背景写一篇小说。

后来在回忆中张爱玲对胡兰成说道：“对于我，隋唐年间是个橙红的时代。”在十几岁时，霸王与虞姬的文章里面，有这样的句子道：“我们是被猎了，但我倒转要做猎者。”又如同《倾城之恋》里的范柳原，描写他的算计和无诚意，却又不自觉地揭露了他的被自己抑制着的真诚与烦恼。

张爱玲与胡兰成在最初的一段时间，历经初识的诧异，交流时的感知，到现在的婚姻，静好安稳的热恋时期，不仅让张爱玲的感情生涯色彩斑斓，文学作品在此期间也是丰饶热烈的。可见，张爱玲的文风如她的内心一般昏暗而又明亮，恣意而又拘谨。这种矛盾和挣扎，伴随了她的一生。世间的才女大多是挣扎而又敏感的，无论对文字、对画作，还是对感情。

就这样，张爱玲迎来了她人生中第一个静好安稳的婚姻岁月。只是幸福的日子总是短暂的。

1944 年底，时局愈发动荡，日军在中国的侵略势力已经濒临绝境，胡兰成作为汪伪政府的官员，自然会生出危机感。

某个傍晚，两人依偎在阳台上，望着沉沉暮色，不免心生悲悯。张爱玲素不闻政治，但政治局势却与胡兰成的命运息息相关。胡兰成把眼下的时局以及自己可能的遭遇讲给张爱玲，他说：“将来日本战败，我大概还是能逃脱这一劫的，就是开始一两年恐怕要隐姓埋名躲藏起来，我们不好再在一起的。”此番话语让张爱玲内心不安，真切体会到了在汉乐府中

“来日大难，口燥唇干，今日相乐，皆当喜欢”这句语的含义。然而张爱玲仍强笑道：“那时你变姓名，可叫张牵，或叫张招，天涯海角有我在牵你招你。”阳台上，你侬我侬的男女，映衬在日渐褪去的夕阳下，形成了一副静静的剪影。只是这静静的美好，在外面的动荡大势所趋之下，以尽显疲惫之色，周身难掩悲戚落寞的意味。

1944 年 11 月，胡兰成调任武汉，在汉口特务部控制的《大楚报》任社长，开始了与张爱玲的长期分离。在分离的初期，二人鸿雁传书。张爱玲在书信中向胡兰成娓娓道来生活的细索，在那琐碎之中细细流淌着对胡兰成的思念与牵挂。每次收到回信，如获至宝般反复研读，亦忧亦喜，一颦一笑间满是对胡兰成的期待与依靠。漫漫长夜，无涯孤寂，一封书信温暖了张爱玲整个内心。

那是一个动荡不安的时期，不时响起的警报声和空袭爆炸声把每一个人内心的惶恐直愣愣显现。来到武汉后，胡兰成见识了越来越密的空袭。“武汉灰尘蒙蒙，衣裳才换洗就又龌龊。大家都一声烟火气，暴躁难禁，见面无别话，只讲炸弹，像梦中呓语。越是要说，越咬不清字眼。”曾经，他在回忆中提到，他在路上突然遇到了轰炸袭击，车水马龙的道路顿时慌乱一片，哭喊号啕声不绝于耳。“正到达铁路线，路边炸成两个大坑，尸体倒植在内。我不敢看他，但已经看见了。在人群跑步的啦啦声里，一架飞机就从头顶俯冲下来，发出那样惨厉的声响，我直惊得被掣去了魂魄，只叫得一声爱玲。”胡兰成在《今生今世》中描写的那些骇人的场景和惶恐的心情在张爱玲《小团圆》中皆有印证。当时的胡兰成在绝望中喊出“爱玲”时，情感上想必仍未发生背弃之念。

对于感情，处在战火纷飞的年代，饥寒交迫的岁月，是一种考验，也是一种保护。因为动荡惶恐，毫无保障，便是考验；因为缺乏安稳，缺乏闲逸，便是保护。多年以后，不知张爱玲是否已体味到此中缘由。在《倾城之恋》中，各自算计各自奔忙的男女，看透了人世的繁华与凉薄，彼此在意又彼此防备。张爱玲倾了一座城去成全了感情。可是，谁又能成全她和胡兰成的乱世恋情？

情 海 生 波

如果情感和岁月也能轻轻撕碎，扔到海中，那么，我愿意从此就在海底沉默。你的言语，我爱听，却不懂得；我的沉默，你愿见，却不明白。

战争的力量是难以想象的，它如同一双无形的手，推着胡兰成去了武汉，武汉又为他开出一朵尘埃里的花来。

胡兰成一离开，张爱玲难免心生寥落。不同于以往小别，胡兰成去南京时，张爱玲可以尽享清净，在一个人的时光里，静思冥想。如今时局动荡，远在上海的张爱玲，只影孤灯，她低眉写下："听到一些事，明明不相干的，也会在心中拐好几个弯想到你。"

幸而，这段时间张爱玲要忙于《倾城之恋》的改编和上演，排遣了些许落寞情思。《倾城之恋》在上海兰心大戏院排练，张爱玲甚是关心，目睹自己笔下的女主角换上华装，添了灵魂，从文字中缓缓走进现实。

张爱玲在《罗兰观感》里，第一段就是这么写的：

罗兰排戏，我只看过一次，可是印象很深。第一幕白流苏应当穿一件寒素的蓝布罩袍，罗兰那天恰巧就穿了这么一件，怯怯的身材，红削的腮颊，眉梢高吊，幽咽的眼，微风振箫样的声音，完全是流苏。使我吃惊，而且想：当初写《倾城之恋》，其实还可以写得这样一点的……

我希望《倾城之恋》的观众不拿它当个遥远的传奇，它是你贴身的人和事。

《倾城之恋》在上海新光大戏院举行首场公演，成功空前。寒风瑟瑟的冬夜，观众的热情不减分毫。电影导演桑弧观看了首演后，决意要与张爱玲进行合作。

《倾城之恋》的结局有这么一句话："谁知道呢，也许就因为要成全她，一个大都市倾覆了。成千上万的人死去，成千上万的人痛苦着，跟着是惊天动地的大改革……"张爱玲的创作生涯抵至巅峰，那些文字如烟火般华美与绚烂，就在这芊芊情丝与百转柔肠中绽放。

此时的胡兰成在汉阳医院休养期间，结识了17岁的护士周训德。胡兰成说她："虽穿一件布衣，亦洗得比别人的洁白，烧一碗菜，亦捧来时端端正正。"周训德家境贫寒，父亲因病去世，自己的母亲只是个妾。她人很勤快，也热情，难得的是个性大方，不惧怕生人。

一天，小周正和其他护士们嬉闹，无意间看到了胡兰成，便孩子气地叫了声"胡社长"。于是，胡兰成便问了她的名字，此时江边传来爆炸声，众人心神未定时，胡兰成说道："这是初次问名，就这样惊动。"这种新鲜的说法让小周顿觉他不是普通的人，心中已然暗生敬佩之意。

那之后，胡兰成经常邀请小周在沙滩上散步，一起到归元寺和上琴台同游月湖。"琴台造得那样轩畅响亮，筑基郊原上，下临月牙湖，四面大风吹来，只觉是在青天白日里，无迹可求。""六月荷花开，先到月牙湖坐小船，撑入荷花深处，船舷与水面这样近，荷花荷叶与人这样近。"时间一长，胡兰成便开口求爱了。

最初小周的心里是有着戒备的，她知道胡兰成是有家室的，加上她理解母亲做妾的痛苦，所以她本不想步母亲的后尘，何况胡兰成的年纪比她要大上许多。所以，她并不愿意接受胡兰成。

然而，胡兰成并没有止步，反而加紧了爱的攻势。最后，小周难敌胡兰成的猛烈求爱，两个人的关系也渐渐暧昧了起来。而胡兰成也没有向周训德隐瞒张爱玲的存在。

而张爱玲对此也并非一无所知，因为胡兰成在去武汉后寄来的第一封信里，就提及了小周，并对其大加赞扬。在《小团圆》中张爱玲曾对此有过描述："他去华中后第一封信上就提到小康小姐，即周训德，有个看护才十六岁，人非常好，大家都称赞她，他喜欢跟她开玩笑。"尽管张爱玲的心中也有芥蒂，但她对爱情是盲目的，以至于过分自信。她以为这是"刚出狱的时候一种反常的心理，一条命是捡来的"或者是"感情没有寄托"。这些女人终究不过是过客而已，不能作数。

然而，胡兰成对女人的要求是丰富的，他不仅需要有张爱玲式的才华来提升自己的思想，也需要普通的小女生式的灵动、活泼，还需要贤惠持家式的女人。想来，也许是张爱玲过分自信，对胡兰成欲望也不够，所以她才会一厢情愿地认为，胡兰成对小周不过是欣赏罢了。于是，她在回信中淡淡地说："我是最妒忌的女人，但是当然高兴你在那里的生活不太枯寂。"

张爱玲果真如胡兰成描述那般："糊涂得不知道嫉妒。"3 月份出版的那期《天地》上刊登了一篇张爱玲的《双声》，说到妒忌："随便什么女人，男人稍微提到，说声好，听着总有点难过，不能每一趟都发脾气。而且，发惯了脾气，他什么都不对你说了，就说不相干的，也存着戒心，弄得没有可谈的了。我想还是忍着好。脾气是越纵容越大。忍忍就好了。"

然而，张爱玲的内心是执着而骄傲的，理性上可以接受的多妻主义，在内心实则难以接受。她曾这样说过："如果另外一个女人是我完全看不起的，那也是我的自尊心所不能接受。结果也许你不得不在她里面发现一些好处，使得你自己喜欢她。是有那样的心理的，当然，喜欢了之后，只有更敌视。"张爱玲对于护士周训德的事情虽惆怅幽怨，但并无多言。此时，她的内心是矛盾的：自尊与隐忍，不舍与妥协。

最终，胡兰成与小周还是走到了一起，他们同居了。与此同时，胡兰成在写给张爱玲的信中越来越频繁地提及小周。如此，即便是再愚笨的女人也明白发生了什么。“他也不断地提起她，引她的话，像新做父母的人转述小孩的妙语。”张爱玲渐渐明白他们之间远非自己想象般简单了。

然而，张爱玲的醒悟为时已晚。

不久就是春节了，胡兰成没有回上海，而是陪小周在武汉过年。张爱玲依然如小时候一样：“一切的繁华热闹已经成为过去了，没有我的份了。”

三月份，胡兰成因为要去南京办事，顺道回了趟上海。这次两人都明显地感觉到了变化，关系大不如从前，而胡兰成则开口闭口全是小周，张爱玲“心里似乱刀砍出来，砍得人影子也没有了”。没呆多久，胡兰成又回到小周那去了，此后虽然与张爱玲间也有书信往来，但全然不是从前的味道了。

受这段感情的折磨与困扰，张爱玲这段时间的创作力大不如前，唯一能做的只是把从前的旧作进行改编与再创作——改为话剧或者电影剧本。

此时的张爱玲仿佛置身于炎炎沙漠中，她无法走出去，也没法儿呼救，只能任自己苦苦地熬着。这样的日子持续了很久，她经常会做梦，一个人，孤单地做些光怪陆离的梦。以至于当胡兰成忽然来电话说要回来的时候，“听见他的声音，突然一阵轻微的眩晕，安定了下来，像是往后一倒，靠在墙上，其实站在那里一动也没动”。难以想象，一个人该如何想念另一个人，才会在听到他的声音后，有这样的反应！

这些日子以来，张爱玲一直在忍耐，忍受着胡兰成的薄情，也忍受着自己的痴傻，然而，爱得越深恨得也越深，最终难逃由爱生怨。

那时已经是1945年了，胡兰成自知时局越发不稳，在《今生今世》里有过这样一段描写：“忽一日，两人正在房里，飞机就在相距不过千步的凤凰山上俯冲下来，用机关枪扫射，掠过医院屋顶，向江面而去。我与训德避到后间厨房里，望着房门口阶沿，好像乱兵杀人或洪水大至，又一阵机关枪响，飞机的翅膀险不把屋顶都带翻了。说时迟，那时快，训德将我又一把拖进灶间堆柴处，以身翼蔽我……”他深知自己的所作所为必定要被打成汉奸，轻则面临牢狱之灾，重则会丢了性命，便早早盘算着逃命。

而就在他要逃离的最后一晚，张爱玲看着他熟睡的后背，一个可怕的念头居然冒了出来：“厨房里有一把斩肉的板刀，太沉重了。还有把切西瓜的长刀，比较伏手。对准了那狭窄的金色脊背一刀。他现在是法外之人了，拖下楼梯往街上一丢。”

然而，为了一个不爱自己的人把自己也搭进去吗?

人比黄花瘦

1945 年 8 月 15 日，日本投降，胡兰成的末日来了。他终于还是走了，去了乡下，化名张嘉仪，虽不似当初的约定叫张牵或是张招，但称自己是张爱玲祖父张佩纶的后人，住在青年时期曾经寄住的诸暨斯家。

斯家的儿子斯颂德是胡兰成的高中同学。斯家有个庶母名叫范秀美，比胡兰成年长两岁。斯家人安排胡兰成去温州范秀美的娘家避难，由范秀美相送。胡兰成在乡下安顿好后，便开始四处找活儿维持生计，范秀美帮了胡兰成不少忙。落难之际，能得到他人的帮助本已感激不尽，何况范秀美是个不折不扣的美人？于是，胡兰成心动了。

那段日子因为有了范秀美的陪伴，胡兰成也倍感美妙。而他与范秀美最后得以相溶，是在从浙江金华去丽水的路上，两人倒也坦诚，彼此都介绍了各自的经历和现状。当两人终于做了露水鸳鸯，胡兰成的心里终有一丝顾虑，反倒是范秀美安慰他一番，说："你与斯家，只是叫名好像子侄，不算为犯上。我这人是我自己的，且他们娘是个明亮的。"如此，胡兰成的顾虑尽数消除，两人水到渠成，以夫妻相称。

1946 年 2 月，张爱玲千里迢迢来到了温州。"我从诸暨丽水来，路上想着这是你走过的，及在船上望得见温州城了想你就住在那里，这温州城就含有珠宝在放光。"当初足不出户的冷清之人，如今为了寻夫一路跋山涉水，患难中的相聚本应何其美好温暖，只是，本性难改的胡兰成已然心系他人了。

张爱玲的到来出乎胡兰成的意料。他"一惊，心里即刻不喜，甚至没有感激”，表面上的解释为“不欲拖累妻子”，实则嫌弃，视其多余。

张爱玲住在城中公园一家旅馆，胡兰成并未把范秀美之事告诉她，二人一同外出逛街，一起品评文字，似乎又回到了昔日的生活中。只是终究各怀心事，生分如宾客。而对于范秀美的身份，张爱玲早已心生疑惑，只是隐忍不发。

某清晨，胡兰成与张爱玲在旅馆正交谈，突觉腹痛，却忍着未提。片刻，范秀美来了，胡兰成一见就对她说自己不舒服，范秀美详细询问并叮嘱几句。眼见二人的亲昵，张爱玲顿时心生惆怅，俨然自己是局外人。

有一次，张爱玲夸范秀美长得漂亮，要给她作画像。可刚勾出脸庞，画出眉眼鼻子，张爱玲忽然就停笔不画了，唯留凄然。范秀美走后，胡兰成一再追问，张爱玲才说："我画着画着，只觉得她的眉眼神情，她的嘴，越来越像你，心里好不震动，一阵难受，就再也画不下去了。"敏感的女子总是聪慧的，何须多言，何须言明?

终于，张爱玲要胡兰成做出选择。但是，胡兰成搪塞道“我待你，天上地下，无有得比较，若选择，不但与你是委屈，亦对不起小周。人世迢迢如岁月，但是无嫌猜，按不上取舍的话。”

张爱玲只说道："你说最好的东西是不可选择的，我完全懂的。但这件事情还是要请你选择，说我无理也罢。"

“你与我结婚时，婚贴上写现世安稳，你不给我安稳?”

胡兰成含糊的态度刺伤了张爱玲。后来，张爱玲也曾写道："生命是残酷的，看到我们缩小又缩小的、怯怯的愿望，我总觉得有无限的惨伤。"

第二天，在漫天的细雨中，张爱玲离开温州。几天后，她从上海寄信一封给胡兰成，“那天船将开时，你回岸上去了，我一人雨中撑伞在船舷边，对着滔滔黄浪，立涕泣久之”。曾经相知相懂的爱情，奈何刹那芳华，正是胭脂泪，相留醉，几时重？自是人生长恨水长东。自己一寸一寸地死去了，这可爱的世界也一寸一寸地死去了。笑，全世界便与你同笑；哭，你便独自哭。

情断梦碎

温州一别，此后几个月，张爱玲和胡兰成仍偶有书信往来。她仍常给他寄钱，用自己的稿费接济他。在后来胡兰成写给张爱玲的信件中也有提及：

因时局发展，我又辗转武汉，在那里认识小周，自此背信于你。可是生在那个动荡的年代，人人都要疯掉了。次年，日本无条件投降，我被划为文化汉奸被政府通缉，到温州老家避难，与秀美成婚。你来看我，要我于小周同你之间做出选择，我不愿舍去小周，更不愿失去你，我无法给出选择，你在大雨中离去。间隔没几日，我又回到上海，去你那里，我们再不像从前那般亲近，甚至我轻触你手臂时，你低吼一声，再不愿我碰你。我睡了沙发，早晨去看你，你一伏在我肩头哽咽一声"兰成"，没想到那竟是我们最后一面。我起身离去，回到温州。数月后收到你寄来的诀别信，随信附一张三十万的支票，是你的《太太万岁》和《不了情》的剧本费。

后来，胡兰成因躲避户口检查，又一次躲藏于诸暨斯家。这期间，他悄然寄信给张爱玲，告知自己的行踪，以报平安。张爱玲深知他的处境危难，见信感慨万分。九月，胡兰成抵南京，几天后，又从南京乘火车到上海。

张爱玲曾对胡兰成的前途倍感担忧。胡兰成离开上海后十天，重庆当时的国民政府就公布并实施了《处置汉奸条例草案》，汪伪政府的各类汉奸被抓起来的甚多。在当局公布的汉奸名单上，胡兰成榜上有名。看到自己的名字跃然纸上，逃亡路上，胡兰成亦如惊弓之鸟。

以前在爱丁顿公寓居所时，胡兰成就提到逃至日本的打算。张爱玲听后，说曾听外祖父讲起李鸿章的一件往事。李鸿章曾代表清朝政府与日本签定《马关条约》，为此深感耻辱，发誓“终身不复履日地”。后来他赴俄罗斯签定中俄条约，要在日本换船，日本方面早在岸上准备好了住处，可他拒绝上岸。这事表面上与胡兰成毫不相干，但实则劝他不要将自己逼上更深的绝境。胡兰成听后，陷入沉默。

随后，胡兰成流转杭州、绍兴，再到诸暨，住斯颂德家。当时送胡兰成的是斯家老四。转至张爱玲家，胡兰成摆出夫主派头，责备张爱玲不善招呼宾客。本就身心俱疲的张爱玲，一听责备立时激动起来，说道：“我是招待不来人的，你本来也原谅，但我亦不以为有哪桩事是错了。”

当夜，两人分室而居。第二天清晨，胡兰成去张爱玲的床前道别，张爱玲伸出双手紧紧抱着他，泪水涟涟，哽咽中千言万语化作只有一句“兰成”，就再也无法开口。而无论胡兰成是否愿意听，这是张爱玲最后一次这样叫他了。两人的最后一面就这样落幕了。

他走后，张爱玲给他写了封信，让他以后不要再写信了。她决意要与他相忘于江湖了。

1947 年 6 月 10 日，张爱玲给胡兰成寄去了“最后通牒”：

我已经不喜欢你了。你是早已不喜欢我了的。这次的决心，我是经过一年半的长时间考虑的。彼时唯以“小吉”故，不欲增加你的困难。你不要来寻我，即或写信来，我亦是不看了的。

张爱玲曾经描述高更的画作《永远不再》，“那个想必曾经结结实实恋爱过的女人。在我们的社会里，年纪大一点的女人，如果与情爱无缘了还要想到爱，一定要碰到无数的小小的不如意，龌龊的刺恼，把自尊心弄的千疮百孔，她这里的确实没有一点渣滓的悲哀，因为是心平气和的，那木木的脸上还带着点不相干的微笑。”爱情带给女人的伤和暖，都会在她的脸上显露无遗。但凡心平气和的女子，脸上的怡然神色均是无忧生活的写照。同样，眉宇间掩藏不住的哀伤，也是生活中的龌龊刺恼所致。

在《小团圆》里张爱玲曾写出一个女人隐痛地、苦苦挣扎的过程：

他微笑着拉着她一只手往床前走去。在暗淡的灯光里，她忽然看见有五六个女人，一个跟着一个人，走在他们前面。她知道是他从前的女人，但是恐怖中也有点什么地方使她比较安心，仿佛加入了人群的行列。

因生活的细索而起争执，显现的却是婚姻的本质。原本慈悲、懂得的感知之心，在经历了轰轰烈烈的热恋之后，终于回归现实。正如在《红玫瑰与白玫瑰》中，张爱玲对于男女相恋的解读："也许每一个男子全都有过这样的两个女人，至少两个。娶了红玫瑰，久而久之，红的变了墙上的一抹蚊子血，白的还是'床前明月光'；娶了白玫瑰，白的便是衣服上的一粒饭粘子，红的却是心口上的一颗朱砂痣。"当天上人间的氤氲之气逐渐消散，取而代之的是生活的凡俗琐碎，当初被胡兰成视为"九天玄女"启他神智的张爱玲，也终于光环散尽。

用胡兰成的话描述张爱玲是"亮烈难犯的，去意徘徊之时哀怨满腹，真正下了决断之后则果决干脆，义无反顾"。此时的胡兰成，对于张爱玲的离去并未十分伤心，反而以一种旁观的态度去描述这件事情。然而，对于张爱玲来说，却是无以言说的痛楚。正如后来出自张爱玲笔下所说的话："如果我不爱你，我就不会思念你，我就不会妒忌你身边的异性，我也不会失去自信心和斗志，我更不会痛苦。如果我能够不爱你，那该多好。"

张爱玲之于胡兰成是影响至深的。因为结识了张爱玲，在潜移默化中，张爱玲的敏捷才思、细腻独特均深深影响了胡兰成，以致在日后的《山河岁月》中，胡兰成在行文之中不免流露出张爱玲式的文字情思。而胡兰成带给张爱玲的震撼却更为刻骨。生性冷清，本性孤傲，满腹才情，却奈何所遇非人。只是文字已矣，情已错付，与胡兰成的相遇终究成为张爱玲生命中不能言说之殇。

“我将只是萎谢了”

我倘使不得不离开你，亦不致寻短见，亦不能再爱别人，我将只是萎谢了。

1947 年 6 月，胡兰成收到了张爱玲的诀别信。后来，胡兰成曾经写信给张爱玲的好友炎樱，本意做挽回之举。但是，就像他描述的那样，果敢决然的张爱玲并不理睬，炎樱亦没有回复。此景在胡兰成的信件中也有体现：

上次遇见炎樱，炎樱说我们“两个超自以为是的人，不在一起，未必是个悲剧”。我说：“爱玲一直在我心上，是爱玲不要我了。”听了这话炎樱在笑，又说：“两个人于千万人当中相遇并且性命相知的，什么大的仇恨要不爱了呢，必定是你伤她心太狠。有一次和张爱一起睡觉，张爱在梦中喊出‘兰成’二字，可见张爱对你，是完全倾心，没有任何条件的，哪怕你偷偷与苏青密会，被她撞个正着。还有秀美为你堕胎，是张爱给青芸一把金手镯让她当了换钱用。这些，虽然她心头酸楚，但也罢了，因为你在婚约上写的要给她现世安稳的。”

此后一段时间二人并无往来，直到 20 世纪 50 年代初，胡兰成移居日本，与吴四宝的遗孀佘爱珍同居。而当时张爱玲也已离开内地到了香港。

胡兰成收到了一张明信片，没有抬头，没有署名，只有熟悉的字迹："手边若有《战难和亦不易》《文明与传统》等书（《山河岁月》除外），能否暂借数月做参考？"后面是张爱玲在美国的地址。

胡兰成喜出望外，自以为张爱玲对他仍旧旧情难忘，便马上按地址回了信，并附上新书与照片。

爱玲：

《战难和亦不易》与《文明的传统》二书手边没有，唯《今生今世》大约于下月底可以付印，出版后寄你。《今生今世》是来日后所写。收到你的信已旬日，我把《山河岁月》与《赤地之恋》来比并着又看了一遍，所以回信迟了。

时至半月，等到《今生今世》的上卷出版之时，他又寄书过去，作长信，为缠绵之语。

爱玲，记否我们初见时我写给你的"因为懂得，所以慈悲"？如今看来，我终究是不能明白你的。你原是极心高气傲的，宁可重新回到尘埃之中，也不甘让我时时仰望了。之前我竟一直愚笨到想你永远是我窗前的那轮明月，我只要抬头，是时时都能仰望见你的。

忽儿又想起那日你对我说："我自将萎谢了……"不，爱玲，我立时慌张起来，你要好好的。我去找你，熟悉的静安寺路，熟悉的一九二号公寓六楼六五室，矗立门前，门洞紧闭。我曾经无数次地在门洞打开后看到你可爱的脸，可是你毕竟是不在了。六三室的妇人粗声对我说六个月前你已经搬走。我想象不出那一屋的华贵随你到了哪里，那一层金黄的阳光如今移居到了哪儿，还有那随风翻飞的蓝色窗帘遗落在何处。离开的时候第一次没走楼梯，我在这昏黄的公寓楼梯间里隔着电梯的铁栅栏，一层层地降落，仿佛没有尽头，又恍惚如梦，我仿佛是横越三世来见你的，而你却不在。

想你于我之间的事，仿佛是做了一场梦，你是一直清醒着的，而我……

梦醒来，我身在忘川，立在属于我的那块三生石旁，三生石上只有爱玲的名字，可是我看不到爱玲你在哪儿，原是今生今世已惘然，山河岁月空惆怅，而我，终将是要等着你的。

但是，对于这一切，张爱玲并不为所动。曾经的伤害幻化成心底的伤疤，随着时间的流逝慢慢愈合坚硬。看透的人性，不再存有幻想，看破的虚情假意，亦无须动容。胡兰成的信张爱玲收到后一概不回，末了才寄来一张短笺：

兰成：

你的信和书都收到了，非常感谢。我不想写信，请你原谅。我因为实在无法找到你的旧著作参考，所以冒失地向你借，如果使你误会，我是真的觉得抱歉。《今生今世》下卷出版的时候，你若是不感到不快，请寄一本给我。我在这里预先道谢，不另写信了。

生疏的客套，生生拉开了二人之间的距离，简短的话语，鲜明亮出自己的态度。这一段铭心刻骨的爱情，就这样彻底告终。在《金锁记》的开头说的：

我们也许没赶上看见三十年前的月亮，年轻的人想着三十年前的月亮应该是铜钱大的一个红黄的湿晕，像朵云轩信笺纸上落了一滴泪珠，陈旧而迷糊。老年人回忆中的三十年前的月亮是欢愉的，比眼前的月亮大，圆，白，然而隔着三十年后的辛苦路往回看，再好的月亮也不免带点凄凉。

张爱玲笔下的恋爱男女，故事的起始，爱至刻骨铭心，至死不渝。而到了尾声之时，皆逃不过苍凉凄然的离别。恍如一切如过眼云烟，飘散在漫漫岁月之中。“我本真心托明月，奈何明月照沟渠”，真心错付，时光不再，唯留一声叹息。

张爱玲曾对胡兰成说：“我倘使不得不离开你，亦不致寻短见，亦不能再爱别人，我将只是萎谢了。”历经与胡兰成的这段感情，从炙热到决绝，带给张爱玲巨大的创伤与冲击。在她的短篇小说《五四遗事》中曾有过这样的描述。一个以自由恋爱为初衷的故事，自诩新时代人物的男主人公最后却娶了三房妻妾。这样的故事梗概，无不透露着她和胡兰成之间的感情痕迹以及对此的讽刺与心酸。

1945 年，抗战胜利以后，民众对于敌伪势力的仇恨爆发出来，舆论陷入对沦陷时期汉奸卖国行为和人员的剧烈声讨中。那时，报纸等刊物几乎每天都有刊登敌伪分子的名字，斥之为“漏网汉奸”，要求加以严厉处决。国民政府回到南京以后旋即颁布了《惩办汉奸条例》，其中包括《文化汉奸》。与张爱玲相识在沦陷时期担任过一些伪势力职务的文人，有些已经像胡兰成般逃跑了，有些已经锒铛入狱，有些改弦更张换了身份。张爱玲虽然不算敌伪势力，但是当时的社会舆论却堪比当局律例，报纸上俨然出现了张爱玲的名字。

张爱玲早先在《杂志》《古今》等背景复杂的刊物上发表作品，并参加了其主办的一些活动。同时，舆论更多的是对她和胡兰成之间的关系进行了指责。在传统的观念中，政治立场与个人情感生活往往是不可分割的，往日在小报上出现的似是而非的花边新闻，在此刻也演变成她以身待敌的证据。此时，张爱玲收到舆论的口诛笔伐，处境堪忧。

一直保持沉默的张爱玲，直到1946年底，借山河图书公司出版的《传奇》增订本之机会，发表了一篇《有几句话同读者说》的文字。文中，她简单说明了辞去大东亚文学者大会代表之事，声明没有向公众说明私生活的义务，并对此前一段时间的质疑做出回应，文中说：

我自己从来没想到需要辩白。但最近一年来常常被人议论到，似乎被列为文化汉奸之一，自己也弄得莫名其妙。我所写的文章从来没有涉及政治，也没有拿过任何津贴。想想看我唯一的嫌疑要么就是所谓“大东亚文学者会”第三届曾经叫我参加，报上登出的名单内有我；虽然我写了辞函去（那封信我还记得，因为很短，仅只是“承聘为第三届大东亚文学者大会代表，谨辞。张爱玲谨上”），报上仍旧没有把名字去掉。

至于还有许多无稽的谩骂，甚至涉及我的私生活，可以辩驳之点本来非常多。而且即使有这样的事实，也还牵涉不到我是否有汉奸嫌疑的问题。何况私人的事本来用不着向大众剖白，除了对自己家的家长之外仿佛我没有解释的义务。所以一直缄默着。同时我也实在不愿意耗费时间与精神去打笔墨官司，徒然搅乱心思，耽误了正当的工作。但一直这样沉默着，始终没有阐明我的地位，给社会上一个错误的印象，我也觉得是对不起关心我的前途的人，所以在小说集重印的时候写了这样一段作为序。反正只要读者知道了就是了。

而因为头顶“文化汉奸”的嫌疑，张爱玲的作品也受到巨大冲击，报纸刊物顾虑社会舆论压力，自然与她保持距离。

1945年后，她的创作进入了低谷时期。直至1947年4月，才发表了小说《华丽缘——一个行头考究的爱情故事》。在内外夹击的压力下，张爱玲搁笔断文，从1945年4月至1947年4月，轰轰烈烈的橙色时代悄然褪色，张爱玲在这两年时间内，从文坛彻底隐退了。

各自为安

个人即使等得及，时代是仓促的，已经在破坏中，还有更大的破坏要来。有一天我们的文明，不论是升华还是浮华，都要成为过去。

面临张爱玲的，不仅仅是爱情的波折与萎谢，还有她的文思。在和胡兰成同居时期，张爱玲虽勤于耕作，但在小说创作上已显衰褪之色。虽有《红玫瑰与白玫瑰》等作品问世，但是已经无法与《金锁记》《倾城之恋》相提并论。1944 年 1 月，在《万象》连载的长篇小说《连环套》，已经有所敷衍粗糙，直至连载六期之后，不了了之。就在次年 5 月，有一位文坛人士匿名发表了一篇文字，对张爱玲的《连环套》给予批判。此人就是当时蛰居上海的翻译家傅雷。他以“迅雨”为笔名，写了一篇题为《论张爱玲的小说》，在 5 月的《万象》上发表。在这篇文章中，傅雷首先认可了张爱玲的才华，“是让人始料未及的奇花异卉”，特别是《金锁记》，“该列为我们文坛最美的收获之一”。紧接着，就开始了指责抨击。说张爱玲的作品中，主人公皆为遗少和小资，“全都为男女问题这噩梦所苦”。说《连环套》此小说是“熟极而流”，摒弃有意义的主题和作者擅长的文学技艺，敷衍读者，不负责任。傅雷断言“《连环套》逃不过刚下地就夭折的命运”。并警告张爱玲“除了男女之外，世界毕竟还辽阔得很”。结尾为“一位旅华数十年的外侨和我闲谈时说起，奇迹在中国不算稀奇，可是都没有好下场。但愿这两句话永远扯不到张爱玲女士身上”。

两个月后，张爱玲《自己的文章》一文在《新东方》杂志发表，即为对“迅雨”评论的回应。文中提到“我发现弄文学的人向来是注重人生飞扬的一面，而忽视人生安稳的一面。强调人生飞扬的一面，多少有点超人的气质，超人是生在一个时代里的，而人生安稳的一面则有永恒的味道”。

张爱玲虽然并不认同傅雷的批评，但自信心严重受创，主动腰斩《连环套》，并且在日后也未将其收入作品集中，说明还是默认了批评。直到1952年，张爱玲去香港，结识了宋琪夫妇，才得知“迅雨”即为傅雷，惊讶不已却也并未多言。

1944年秋，出资于日本的《苦竹》刊物，是胡兰成在南京主办的。张爱玲当时将《桂花蒸——阿小悲秋》等三部作品先后发表在此，亦是支持。

此时的张爱玲在写作上已经势头大减，但因着当时《传奇》正出版，还是境况不错。《传奇》的封面是她本人设计，漫天的孔雀蓝色，印着黑字，没有印章，没有留白，透着作者的艳烈与惆怅。后来再版，那时正当和胡兰成低调结婚，好友炎樱为《传奇》再版画了一幅画，“炎樱画的封面，像古绸缎上盘了深色的云头，又像黑压压涌起了一个潮头，轻轻落下许多嘈切嚓嚓的浪花。细看却是小的玉连环，有的三三两两勾搭住了，解不开；有的单独像月亮，自归自圆了；有的两个在一起，只淡淡的挨着一点，却已经事过境迁，用来代表书中的人相互间的关系，也没什么不可。”书的序是这样的话语：“生命也是这样的罢，它有它的图案，我们唯有临摹。所以西洋有这句话：‘让生命来到你这里’。”将图画比作生命，比作人相互间的关系，唯有临摹，不可改变，悲观而又无奈。

1944年底，这一段时间张爱玲的《倾城之恋》正值改编、上演。也就是在这次首演之后，电影导演桑弧决意要和张爱玲合作。一时间，各种媒体竟相报道，好评如潮。然而，物极必反，盛极而衰，在张爱玲的文学生涯达到顶峰之时，时局的变化带来了对她的致命打击。

抗战胜利后，张爱玲陷入“文化汉奸”的舆论旋涡。虽然，随着抗战胜利，大批后方人员返回至上海，欣赏张爱玲的读者人群是有所增加的，为其打抱不平的人也有。比如当时，左翼文学的代表人物之一郑振泽，出面邀请当时返沪的女作家赵清阁发文，对于张爱玲的作品予以正面积极评价。这位赵清阁当年在抗战时写了不少正面题材的话剧作品，与老舍、矛盾等文坛巨匠关系甚密，以她的身份讲话，分量颇重。

张爱玲不想她的朋友苏青那般急于为自己辩驳。在苏青《续结婚十年》卷首中一文《关于我——代序》里辩道：“是的，我在上海沦陷期间卖过文，但那是我‘恰逢其时’，盖亦‘不是已’耳，不是故意选定这个黄道吉日才动笔的。我没有高喊什么打倒帝国主义，那是我怕进宪兵队受苦刑，而且即使无甚危险，我也想来不高兴喊口号的。我以为我的问题不在于卖不卖文，而在于所卖的文是否危害民国。否则正如米商也卖过米，黄包车夫也拉过任何客人一般。假使国家不否认我们在沦陷区的人民也尚有苟延残喘的权力的话，我就是如此苟延残喘下来了，心中并不觉得愧怍。”苏青的反驳是激烈的，也有几分剑拔弩张的意味。卖文，仅仅是“恰逢其时”之下的“苟延残喘”。

但是，张爱玲是不同的，内在的生性孤傲不屑于去辩驳什么，因为，在她看来，辩驳的同时，就是一种妥协。而外在上，她的确是和胡兰成结婚了的，纵使低调成婚，毕竟是事实。另外，上海沦陷时期的《杂志》等刊物已经停办，取而代之的上海代表主流刊物是《文艺复兴》这样的纯文学派刊物，张爱玲与此种刊物素来无交往，又基于当时的社会舆论压力，也没有报刊会主动为她辩白，因此张爱玲失去了与公众沟通的途径。其后一年有余的时间里，张爱玲沉默着。

直至多年以后，张爱玲在台湾再度家喻户晓，曾有人就此时此刻对她的文风、主题等提出异议。在刘心皇的一篇文章中提到：“关于她的散文和小说，可以说是声情并茂，毛病甚少。可悲的是她在抗战时期，没有到大后方，而留在沦陷后的上海，又偏偏没有和从事抗战工作的人员联络，而终日和伪政府组织的高级人员混在一起，又和他们之中的一个同居，这是特别令人注意的。她虽然在文学没有替他们宣传，但从政治立场来看，不能说没有问题。国家多难，是非要明，忠奸要分。”而今看这些评论，除了体会其中的无稽与莫明其妙，更加体现了当时张爱玲与胡兰成的一段情感纠葛所带来的影响之深久。

而在张爱玲的作品中，对于家的描述也是一致的负面基调。作品里的家，往往既是文章的背景，又暗含了人物的命运结局。比如《沉香屑——第一炉香》上海女孩葛薇龙投奔香港姑妈，那个家就是“鬼气森森的世界”，充满着“晚清末年的淫逸空气”。再如《十八春》在悲剧的爱情里，家的描述也是卑鄙的。亲人之间的算计陷害，亲情的淡漠缺失，留下一个“永远隐藏在心底的一个恐怖的世界”。这般描述，其实是一种宣泄，因着灰色的童年，对世态炎凉的看透，对人生不易的怜悯。

正如，张爱玲说：“我立在阳台上，在黯蓝的月光里看那张照片，照片里的笑，似乎有藐视的意味，然而那注视里还是有对这世界难言的恋慕。”对于现实，她是失望的，也是不屑的。对于感情、对于人性，因为一个人而变得满目萧条。而对于生活本身，她又是期待的。纵有千疮百孔，却也在心底留得一丝眷恋和期许。

我想着：这是乱世。晚烟里，上海的边疆微微起伏，虽没有山也像是层峦叠嶂。我想到许多人的命运，连我在内，有一种郁郁苍苍的身世之感。“身世之感”普遍总是自伤、自怜的意思罢，但我想是可以有更广大的解释的。将来的平安，到来的时候已经不是我们的了，我们只能各人就近求得自己平安。

第四章 华丽重生

人总是这样，在经历了痛彻心脾的一段岁月后，方能有所顿悟。很难说，从情伤中磕磕绊绊走出来的张爱玲是否真的放下，或者彻悟。她终究让自己从文字中找到了心灵的释放，她用心交出了让世人迷恋的答卷。重生，虽然华丽，却带着浴血的疼痛。她，做到了。

迷茫新生

有一天我们的文明，无论是升华还是浮华，都要成为过去。

此前，张爱玲的状态正如柯灵在《遥寄张爱玲》中所说“内外交困的精神综合症，感情上的悲剧，创作繁荣陡地萎缩，大片的空白忽然出现”。

倘若说张爱玲此时的创作陷入瓶颈，那么一年后则完全停滞了。1945年，抗战胜利后，胡兰成被列为汉奸，他早有判断，躲到了乡下。而张爱玲则留在了充斥着民众盲目的正义感和激愤的上海，独自面对来自方方面面的叫骂和谴责，举步维艰。

很多报纸和刊物都对她进行了口诛笔伐，称她是文化汉奸。甚至还有人专门写了一本《女汉奸丑史》，把张爱玲、苏青以及汪精卫的妻子陈璧君、特务头子吴四宝的妻子佘爱珍、日本影星李香兰并称为女汉奸，其中尤其对张爱玲“愿为汉奸妾”重重批评。

除此之外，由于张爱玲成名心切，加上她有政治洁癖，对发表自己作品的刊物也没有谨慎选择，导致落下了更多的把柄。尽管张爱玲以沉默作为回应，但当时各家刊物碍于局势都不敢再发表她的作品了，就连她曾计划创作的长篇小说《描金凤》也付之阙如了。

这样的状况持续了大概一年，张爱玲也一直未给予正面回应。直到1946年11月，张爱玲在小说集《传奇》增订本里的序言中做了简短有力的辩白。

她沉默了太久，就像蛰伏太久了，等到复苏的时候，必定要春雷滚滚，唤醒混沌的世间。她要开始自己新的生命，她想向世界宣告她的冬天已经过去了！

基于此种状态，张爱玲复出后的第一部作品《华丽缘——一个行头考究的爱情故事》，于1947年4月发表在刊物《大家》的创刊号上。唐纪常在编后话中还特别说到："《华丽缘》是张小姐在胜利后的试笔，值得珍视。"

该作品在当时定位为小说，描述的是张爱玲在浙江农村，春节期间与农人一起观看露天戏曲的见闻和感受。在这篇小说里，时刻透露着张爱玲独有的文风，细腻、独特。虽为小说，却颇具散文意味。文中，大量的笔墨用来描述乡间的生活，蕴含着浙江当地独有的地方特色。张爱玲细细观赏着台上的戏剧演出，也细细观察着身边看客的言谈举止。

台上，热闹的戏剧与身后空洞的遗像；台下，喧闹的看客与张爱玲孤寂的内心，这一切的对比如此强烈，却共存一处。身边的喧嚣弥补不了内心的荒芜，精彩的戏文丝毫带不走内心的落寞。寂寞的喧嚣，无声的宣泄，仿佛午后阳光中的尘埃，带着令人窒息的纷扰。就像张爱玲自己的描述：

周围的男男女女都好得非凡。每个人都是几何学上的一个点——只有地位，没有长度、宽度与厚度。整个的集会全是一点一点的虚线构成的图画。而我，虽然也和别人一样的在厚棉袍外面罩着蓝布长衫，却是没有地位，只有长度、宽度与厚度的一大块，所以我非常窘，一路跌跌冲冲，踉踉跄跄地走了出去。

随后，在《大家》第2、3期上，张爱玲发表了中篇小说《多少恨》。在题记中她写道"我对通俗小说一直有一种难言的爱好，那些不用多加解释的人物，他们的悲欢离合。如果说是太浅显，不够深入，那浮雕也是艺术呀”。对于自己的转变，无论从作品文风还是故事背景，从描述视角还是内心感受，在此题记中均已做出了解释。

《多少恨》这篇小说的基调是悲情的，这也似乎印证着张爱玲此阶段的内心独白。早期的《太太万岁》中，与《多少恨》相比，文笔充满着跳跃的情节，灵动的描述，是一种轻喜剧的基调。在一个吵吵嚷嚷的市井背景下，塑造着各式各样的小角色，例如懦弱的丈夫，脾气乖张的婆婆，心肠歹毒的交际花，坑蒙拐骗的市井流氓，世故算计的势利小人等。而最终的喜感则来自于这些小人物，最终都得到大小不一的报应，弄巧成拙，算计落空。女主人公陈思珍的处境本就带着几分喜剧色彩：“家里上有老下有小，然而她还是一个安于寂寞的人。没有可交谈的人，而她也不见得有什么好朋友。她的顾忌太多了，对人难得有一句真心话。不大出去，可是出去的时候也很像样：穿上‘雨衣肩胛’的春大衣，手挽玻璃皮包，粉红脂白地笑着，替丈夫吹嘘，替娘家撑场面，替不及格的孩子遮盖。”小说中的陈思珍是一个整日忙于周旋的人，敷衍婆婆，欺骗父亲，安抚佣人，处处用心，处心积虑，无非是想面面俱到，博的好评。可笑的是，最终，她的谎言均被戳穿，费尽心思却空落埋怨。

在《太太万岁》的题记中，张爱玲曾对女主人公陈思珍有过解读：“她处处委屈自己，顾全大局，虽然也煞费苦心，但和旧时代的贤妻良母那种牺牲精神比较起来，就成了小巫见大巫了。陈思珍毕竟不是《列女传》上的人物。她比她们少一些圣贤气、英雄气，因此看上去要平易近人的多。然而实在是更不近人情的。没有环境的压力，凭什么她要这样克己呢？这种心理似乎很费解。如果她有任何伟大之点，我想这伟大倒在于她的行动都是自动的，我们不能把她算作一个制度下的牺牲者。”这番论述，印证了张爱玲一贯关注的女性自我意识和自处环境的问题。彼时彼刻，张爱玲对于女性要学会自我关怀、唤醒自我意识的问题上是颇为关注的。

张爱玲通过《太太万岁》，以辛辣的文笔，诉说的当代女性生活的问题和自身意识上的悲哀。女主人公心甘情愿委屈自己迎合婆婆丈夫，自我牺牲到头来却是毫无意义，此中的讽刺在荒诞离奇的情节中展露无遗。

其实，在上映的影片《太太万岁》中，其本身的教育意义和对女性意识的唤醒功能并不是很明显地被大众接受。反而，影片的诙谐幽默却被大众所认可。这也是张爱玲在文学上亲近通俗的方式。情节安排上，人物贴近大众，既不是阳春白雪，也不是文艺青年。这让观众在观看的同时，得到一种心理平衡。剧中的人物也像真实生活中的自己，也有着与自己一样的喜怒哀乐和虚荣算计。最终的结局也是一种凡俗生活中的圆满，丈夫回归家庭，一切回到原点。

《太太万岁》的题记是在1947年12月在《大公报》上发表的，距离《多少恨》的发表有半年之久。此半年中，由于时局动荡，感情生活波折，张爱玲无作品问世。历经诸多打击之后，伴随着《华丽缘》的问世，张爱玲在迷茫中复苏了。只是，苏醒过来的她，已经不再像从前那般恣意，文笔中有了顾忌，有了犹豫。与之前作品对比最明显的，莫过于曾经的文笔犀利跳跃之感而今已销声匿迹。在复出后的第一部作品《华丽缘》里，已然减少了当初的灵动恣意，从容论道的自信也悄然褪去，代之以更多的迷离牵绊，让人不觉有“结束铅华归少作，摒除丝竹入中年”的感慨。

《童言无忌》中曾有一段记录：某天，张爱玲在市场买菜，卖菜之人在将菜装入网兜时，用嘴含着网兜的把手，回家的路上，张爱玲手提着沾染着他人口水的潮湿网兜，并未像以前一样心生反感，反而能够欣然接受。在她看来，俨然是自己克服了原来的旧时落寞贵族心态，能够亲近日常生活了。此中的自鸣得意也是有的。

张爱玲喜欢浓郁的颜色，喜欢在身上穿着夸张奇异的衣服，那是她内心恣意不羁的体现。那时的她，不闻政治，一心笔耕。她曾说：“对于不会说话的人，衣服是一种语言，随身带着的袖珍戏剧。”然而，时至今日，轰轰烈烈的燃情季节不再，现在的张爱玲不仅文风蜕变，昔日的衣着风格也随着内心的变化而变化。褪去炫彩浓烈的衣衫，张爱玲不再奇装异服，“而我，虽然也和别人一样的在厚棉袍外面罩着蓝布长衫”，选择与周围人无异，主动融入凡俗生活。而凡俗的生活，却又以另一种姿态感化了张爱玲。这一段时日的平常生活，为其以后的小说和电影剧本的创作提供了更坚实的素材基础和更真实的生活背景。

初涉影坛，双收

一个知己就像一面镜子，反映出我们天性中最优美的一部分。

在沉寂了一年多后，张爱玲终于要开始自己新一轮的生命了。她开始向电影业进发，创作电影剧本。其实在1946年7月，张爱玲已经有过一次这方面的尝试。

在《倾城之恋》公演后，她认识了生命里一个重要的人——导演桑弧。桑弧的出现，让张爱玲在黯然无依的世界里看到了希望之光。开始，张爱玲对桑弧的邀请并未接受，因为虽然她之前的小说广为人知，但是她从未接触过电影剧本，感到有些为难。但是，身处时代泥沼的张爱玲也想让自己尽快走出来，重新寻找属于自己的世界。

最开始，写电影剧本的缘起是柯灵请张爱玲赴一个宴席，地点就在电影导演桑弧的家中。桑弧是浙江宁波人，那时正致力于与电影界的吴兴裁合办文华影业公司。桑弧深知张爱玲性格孤傲，为避免冒昧，特请柯灵从中牵线，席间适时提出合作请求。

当天受邀赴宴的还有炎樱、魏绍昌、龚之方、唐纪常、管敏莉、胡梯维等几人。大家身份不同但都是文化圈内人，这样意在为张爱玲营造一个朋友聚会的气氛，以免冷场尴尬。当时的金融界人士，后来成为著名红学家的魏绍昌，后来回忆当时的情景说："这一天，我初次见到张爱玲，她沉默寡言，带着女性的矜持，大约是她敏于思。"龚之方后来也回忆说："吃了这顿饭后我们和张爱玲的交往合作维持了六年，直到她离开上海。”

那之后，张爱玲与桑弧导演渐渐地建立起了联系。他们合作的首部电影是《不了情》，男主角刘琼、女主角陈燕燕都是当红明星。强大的阵容引起了不小的轰动。沉寂许久的张爱玲终于借着这场电影打了一场漂亮的翻身仗。首战告捷，这也让张爱玲和桑弧等人信心大增，接着桑弧乘胜追击，请张爱玲再写一部。

他打算塑造一部喜剧，便把头脑中的故事梗概说给张爱玲听。张爱玲觉得故事好，当下慨然应允。没过多久她的第二个电影剧本《太太万岁》便出炉了。该剧写的是一个在家中委曲求全、忍气吞声的太太，虽然费尽心机讨好丈夫、婆婆，但丈夫丝毫不领情，仍然讨了一房姨太太。婆婆也对她百般责难。剧本里写的游手好闲的丈夫、冷面婆婆、交际花、骗子、势利鬼等角色，都是都市里常见的众生相。张爱玲对这类人的喜怒哀乐了如指掌，所以写起来也惟妙惟肖。

这部电影仍由桑弧执导，演员都是如雷贯耳的明星，包括蒋天流、上官云珠、石挥、张伐、韩非等。该片在上海的皇后、金城、金都、国际四大影院同时上演，连映两个星期，场场爆满。报纸上称之为“巨片降临”，赞美之词一时铺天盖地。

沉寂已久的张爱玲似乎又找到了那个适合自己的“轰轰烈烈的橙色时代”。只是历经沧海桑田的她，已不似从前。寂寞的生活久了，仿佛很难再回去了，太多的掌声与喧哗也成了生命中不可承受之重。当张爱玲的这两部电影收获掌声和鲜花的同时，也惹来了批判与嘲讽。

很多激愤的文人看客，有些是浅薄无知，有些本就不怀好意，开始在各大报纸上对《太太万岁》以及张爱玲本人进行了尖刻的攻讦。张爱玲依旧像以前一样，对此未置一词。

从来如此，寂寞与喧嚣、鼎盛和衰败往往只隔了一道光阴的距离。张爱玲冷冷面对着各式各样的评论和猜测，曾经的浓烈，曾经的明艳与张扬，在疲倦的心面前悄然退去。

就在张爱玲初涉影坛之时，她还借助这些朋友的力量出版了《传奇》增订本。

事情主要是由龚之方和作家唐纪常一起着手办理的。那时，经过一段时间的合作，张爱玲与龚之方已然成为朋友。某天，张爱玲忽然携带着一堆文稿找到龚之方的办公室，开门见山地提出让他帮忙出版一本书，对方应允，并且竭尽全力。为了让她的书效果出众，龚之方还和桑弧一起去拜见了著名书刻大家邓粪翁，请其为张爱玲题写了书名——“张爱玲传奇增订本”八个字，厚重而遒劲的隶书字体为书增色不少。

书的内容编排和封面设计均是由张爱玲亲自着手操办的，文字也完全由她自己进行校对。而对于这一点龚之方曾经十分佩服地说：“她在这方面是很能干的，我不敢掠美。”同时，增订本的封面，因其构思独特、超然脱俗，直到今天也常为人津津乐道。

封面的创意是出自炎樱之手，主图借用了《点石斋》的一幅石印线描《仕女图》。古香古色的厅堂里，一个身穿清朝袄裤的太太在玩骨牌，身旁的奶妈在抱着孩子观看。点睛之笔在于，在古色古香的背景右上角窗口，探进了一个现代女子的上半身，脸上没有画五官，但神态眉目却依稀能够感觉到，似在凭窗而观，又似在倚窗沉思。这个现代女子的头像就是张爱玲本人的样子。张爱玲对这个封面的构思非常满意。与初版相比，这一本多收了《留情》《鸿鸾禧》《红玫瑰与白玫瑰》《桂花蒸——阿小悲秋》等进去，另外，还有前言和跋。书后的跋语，题目叫《中国的日夜》，照录如下：

我的路

走在我自己的国土

乱纷纷都是自己人

补了又补

连了又连的

补丁的彩云的人民

我的人民

我的青春

我真高兴晒着太阳去买回来

沉重累赘的一日三餐

谯楼初鼓定天下

安民心

嘈嘈的烦冤的人声下沉

沉到底

中国

到底

因为几部影片，张爱玲与电影界的朋友有了一些交往。同时，在电影拍摄的过程中，导演桑弧免不了要常去张爱玲的住处，与她交流影片事宜。如此一来，两个人的来往也就密切了许多。桑弧为人忠厚，性格拘谨，颇具才华，人品善良。

那时众人觉得桑弧和张爱玲在情感上应该有所发展，彼此般配，一个未婚，一个前缘已尽。桑弧是知名导演，张爱玲是知名作家，两个人若在一起，岂不是天作之合？曾经有热心的朋友向张爱玲说起，意图撮合桑弧与她。张爱玲闻言，陷入沉寂，随后只是摇头。

然而，桑弧究竟有没有爱过张爱玲？而张爱玲又是否爱过桑弧？这个问题后来在张爱玲《小团圆》出版之后，似乎得到了认证。在《小团圆》中，九莉对燕山说："没有人会像我这样喜欢你的。"张爱玲在小说的最后又写道：“但是燕山的事她从来没懊悔过，因为那时候幸亏有他。”由此看来，张爱玲是爱过桑弧的，而桑弧亦是爱张爱玲的。

只是他们都是在错误的时间遇见了正确的人，徒留遗憾。原本生性清冷之人，以为遇见了懂得之人，于是倾其感情所有，却不料，低至尘埃中的爱情并未如愿开出花朵，空留伤心人。

胡兰成对张爱玲的伤害太深，张爱玲已经失去了重新开始一段感情的信心，“我亦不能够再爱别人，我将只是萎谢了”。

一段新恋

桑弧这个名字，在《小团圆》面世之前，就一直存在于张爱玲的履历里。

桑弧，原名李培林，原籍宁波，1916 年出生于上海。少年时曾在证券交易所当学徒，后来就读于渡江大学新闻系。他的志向是当一名记者，但他的哥哥与长姐都希望他能有个安稳可靠的工作，于是毕业后他报考了中国银行，做了一名银行职员。他狂爱戏剧，1935 年，他结识了周信芳和电影导演朱石麟，开始尝试着文艺写作。1941 年，他创作了电影剧本处女作《灵与肉》，并从“当年蓬矢桑弧意，岂为功名始读书”中给自己取了笔名——桑弧。

在周信芳的介绍下，他进入电影行当，开始做了编剧，后转为导演。

张爱玲与桑弧正式的相见，应该是柯灵引见的那一次。只是，那次见面却因为柯灵的缘故颇有几分尴尬。

这要从柯灵与张爱玲之间的关系说起。虽然柯灵在关键时候曾帮过张爱玲，但在张爱玲的眼里他总是另有企图的。她觉得与胡兰成一道认识的文化人，“又不干净，又不聪明”。

柯灵办《万象》时，被日本人怀疑是共产党，于是被抓到了宪兵队，恰好被张爱玲看到了，回家后告诉了胡兰成，胡兰成便出面救了他。而此时的张爱玲对柯灵谈不上欣赏，也谈不上厌恶。一方面听胡兰成和苏青等人都评价他不错，一方面因为听说他有三房太太，其中的两房不过是在同居，所以，张爱玲对柯灵并没有太多的好感。

而柯灵被从宪兵队解救出来后，一直以为是张爱玲出面相救，所以在他的两位同居的太太登门道谢后，还亲自上门道谢，甚至还一度出现了这样的流言："不知道他这算不算求爱。"张爱玲觉得这话是在侮辱自己。

后来，胡兰成逃亡乡下，张爱玲在电车上又遇到了柯灵。柯灵朝张爱玲熟络地打着招呼，从人群中挤过来，开始只是寒暄，后来车上人越来越多，他忽然用膝盖夹住了张爱玲的腿。当时，张爱玲真想抽他一嘴巴，但是碍于此举会太过张扬和突兀，就忍着没动。

这样看来，张爱玲对柯灵的印象确实糟糕，而对于他引见的朋友自然也就先入为主地被划入了一类，也没有什么好印象。

所以，桑弧向她走过来时，肢体动作略显夸张了些，让她很自然地联想到了电车上的柯灵来。想到这，她的心里便更加觉得别扭，于是她便淡淡地笑了笑，把脸扭向别处了。

张爱玲的举动让桑弧也感觉到了异样，于是他也只得默然地抱着胳膊坐着，也没有说话。而且，桑弧的穿着也让张爱玲觉得不顺眼。桑弧比她还要年长几岁，却穿了件浅色爱尔兰花格子呢上衣，好像没有穿惯的样子，显得很稚嫩。

初次见面就这样在尴尬中结束了。后来桑弧拍了张爱玲写的《露水姻缘》，偏偏拍得颇为牵强，这让张爱玲更加觉得难以忍受。然而，就是这样并不和谐的开始，居然让两个人越走越近。他们之所以能够谱写一段恋情，有人说是因为两个人经常要讨论剧本，久而久之产生了感情，也有人说是桑弧的出现恰逢张爱玲饱受胡兰成的情伤，内心最为空虚和脆弱，加上桑弧本身对张爱玲是有好感的，甚至是崇拜的。但无论初衷是什么，他们的缘分到了，一切就那么自然，又有些意外地开始了……

那时，张爱玲的母亲刚刚从国外回来。一次，桑弧到家中做客，恰逢张爱玲的母亲心情不好，突然将客室的门一把推开，又不留情面地关上，来去都没有打声招呼。这让本就胆小的桑弧，竟然胆怯地说张爱玲的母亲“像个马来人”。

事实上，张爱玲的母亲对桑弧的印象还不错。她这次从国外回来，最主要的目的就是想弥补自己之前没有尽到的母亲责任。所以，她几乎是每时每刻都在关注着自己的女儿，甚至包括她的隐私，也为女儿的终身大事着急。桑弧也是她的目标人选之一，只是她总觉得桑弧有些清高，所以最终也没有做出什么具体行动。

后来，桑弧再来家里时，张爱玲就和他依偎着坐着，跟他讲着她与母亲之间的陈年往事，诉说着那些记忆里的灰白画面。只是，与当初她讲给胡兰成时的动情与浪漫不同，她与桑弧只是在叙说着，或者只是为了和他解释。末了，她说：“给人听着真觉得我这人太没良心。”而桑弧回应道：“当然我认为你是对的。”聪明如张爱玲怎么不知他这句话不过是应景的安慰而已，何况又是她的恋人？

桑弧不是那个最懂她的人，只是那时除了桑弧，她便没有其他人可依靠了，她需要他。更重要的是，她能在他的身上找到初恋的感觉——那种快乐。

刚认识的时候，张爱玲曾告诉桑弧，自己不再看电影了，因为几年战争过后，没有美国电影看了，慢慢地就习惯不看电影了。而她其实是为了省钱而已，或许还掺杂着“对胜利者的一种轻微的敌意”。但就是这随口的一句话，却让桑弧对她肃然起敬，他觉得这就是一种忠贞。

后来，桑弧对张爱玲说：“我觉得你不看电影是个损失。”便接二连三地带张爱玲去看了几场电影。几次下来，让张爱玲不禁也对他肃然起敬。自古就有“文人相轻，自古皆然”的说法，张爱玲想到自己也是如此，除了苏青的文字，其他女作家的文章她也是不感兴趣的。但是桑弧居然对别人拍的电影也能那样专注地欣赏，这让她不由心生敬意。

在桑弧的眼里，张爱玲是有些许神秘的。两个人聊天时，他经常会弄不懂张爱玲在说什么。戏剧性的是，他反倒和张爱玲的姑姑更聊得来。因为桑弧就出生在上海，对上海的历史变迁比较熟悉，当提起一些建筑物的轮换沧桑，反倒与姑姑更能说到一起。

他们在一起的时候，并不能算浪漫，即便有时出去吃饭，也很少去时髦的饭馆，反而总是去一些比较冷清的、灰扑扑的老式北方馆子，经常一个楼面就他们一桌客人。

后来，有人说这样或许是为了躲避大众的眼睛。虽然桑弧与张爱玲是相爱的，但是在桑弧的内心，或多或少地对张爱玲传出去的“汉奸妾”的狼藉名声有些顾虑，甚至是忌讳。而张爱玲对此也心照不宣，所以也总是顺着他的心意走，也极力地帮助他隐瞒。当两个人因为合作电影的事情在外界走得愈发近时，一度传出了他们在一起了之类的传闻，甚至连周围的朋友也都“信以为真”了。只是他们都对外极力撇清，解释只是合作而已。

而私下里桑弧也会时不时地问一句：“你到底是好人还是坏人?”尽管语气故作轻松，但还是能听得出来，他是在问张爱玲与胡兰成的事。张爱玲则回避式地不予正面回应，说：“倒像小时候看电影，看见一个人出场，就赶紧问‘这是好人坏人’。”桑弧听了自然明白她是不愿回答，只得又将话题转到其他地方去，说：“你像只猫。这只猫很大。”又说，“你的脸很有味道。”这样喃喃了几句，最终桑弧还是追问道：“你到底是好人还是坏人?”

虽然这样的问话让张爱玲很是厌恶，但是她也明白如果总是回避，他的心里便总也无法释然，于是便淡淡地说了句：“我当然认为我是好人。”说完，张爱玲清楚地看到桑弧的眼中闪过一丝希望的光，心里不禁暗自叹息。

海枯石烂也很快

想来张爱玲是很在意她与桑弧之间的感情的。

在他们的相处中，张爱玲是极为迁就桑弧的，不仅照顾桑弧内心的忌讳，还对外掩饰他们的关系。

一次，张爱玲在抹粉，本想在眼窝鼻洼处留一点晶莹，所以就把这些地方空了出来，没有涂粉。但桑弧看到后，就让她再扑点，于是张爱玲就又扑上粉了。结果，整张脸看上去像是盖了层厚厚的棉被，透不过气来。即使这样，她也没有跟桑弧抱怨什么。反倒是桑弧，当他们从电影院走出来时，桑弧的脸色却很是难看，因为“她的面貌变了，在粉与霜膏下沁出油来”。

自此，张爱玲变得更加在意自己的容貌了。为了让桑弧每次来看她时都能开心，她都在他到之前做足了准备。她试图让皮肤能变得更紧致，但又不敢去冰箱里取冰块，担心被姑姑发现，所以就把浴缸里的冷水龙头开得大一些，多放一会儿水，等水变得冷了再把脸凑上去。

然而即便如此，桑弧也鲜少来一趟。有一次，接连下了好多天的雨，桑弧一直没来，张爱玲便像是丢了魂一样，整日心不在焉。她写道：“雨声潺潺，像住在溪边。宁愿天天下雨，以为你是因为下雨不来。”

张爱玲自己也奇怪，怎么会为了他变成这般患得患失。一次，她问姑姑：“我怕我对他太认真了。”而姑姑却说道：“没像你对胡兰成那样。”听了姑姑的话，张爱玲不禁愣在那里，难道她这样还是不够的吗？

张爱玲素来对长相出众的男人不信任，而桑弧偏偏就是长得漂亮的男人，连从不轻易夸人的姑姑都这么认为。然而，漂亮的男人是经不起惯的，张爱玲有时会靠在藤椅上，一边对他说："没有人会像我这样喜欢你的。"接着又说，"我不过是因为喜欢你的脸。"一边却止不住地流泪。而桑弧却煞有介事地走到镜子前，左看右看，还把头发故意向后推了推……那句话果然不假。

"热恋"了一段时间后，一次，桑弧半开玩笑地喃喃道："你这人简直全是缺点，除了也许还俭省。"口气和上次问她是好人还是坏人时一样。张爱玲笑而不答，心里却嘀咕："我就像是镂空纱，全是缺点组成的。然而它终究是美的，且美得走在时代前列。好与不好，全在于你会不会欣赏。"

后来，张爱玲发现自己已经有两个月没有来月事了，她怀疑自己怀孕了，就告诉了桑弧。桑弧的反应在意料中，自然没有做好准备，或许他是有准备的，最坏的准备。

桑弧在张爱玲面前笑得很勉强，没有为了这个可能将要到来的新生命而表现出太多的喜悦。或许这对于他来说只会是个负担，甚至是累赘。桑弧低声说："那也没什么，就宣布。"听了桑弧言不由衷的话，张爱玲看着前方，眼神却是空洞的，终于有些艰难地说："我觉得，我们这样开头太凄惨了。"

后来，张爱玲到医院又做了详细的检查，结果是没有怀孕，而且检查结果显示子宫颈是折断过的。第二天，桑弧来问检查结果，张爱玲便都告诉了他，而心里却悲戚地在想：他不但要觉得她是残花败柳，并且是给蹂躏得不成样子了的。然而桑弧对这样的检查结果并没有太多表示，却难掩幸免的喜悦。

也许，就是从这一次的"有惊无险"开始吧，桑弧开始为自己的以后考虑了。他不能和张爱玲永远在见不到光的地方谈情说爱，他也不愿意将张爱玲明媒正娶地迎进家门，他也没有这样的胆量。于是，他准备从这场感情中抽身了。他要物色好结婚的人选，然后赶紧结婚，以此同张爱玲泾渭分明。

说来，倒也能理解，他不能让张爱玲毁了他的前程。

或许在感情上，桑弧也不是一个勇敢、直接的人，他把对张爱玲的爱慕深藏在心底。和张爱玲在一起交往的时候，他们之间的话题也基本都与影片有关，而那些与情爱相关的私事他从不曾提起。尤其是在朋友的撮合遭到拒绝后，桑弧更不敢轻易碰触。桑弧给予张爱玲的，是体谅、是宽慰，没有伤害，也没有迁就。

后来，桑弧娶了一个文化圈外的女子。想必，如桑弧这般沉静温暖的男子，平凡安静的女子与之更为合适。而如张爱玲这传奇般的女子，注定无法在寻常尘埃中甘于平凡。她内心的叛逆与孤冷，注定是孤独的。

隔年，张爱玲从上海去了香港，之后，她和桑弧就再也没有见过。直到 1995 年，张爱玲去世，许多人都写文章怀念张爱玲，唯独桑弧一直保持沉默。也许由始至终，二人之间的情缘都是不可言说的。

只是，对于与桑弧之间的往事，张爱玲从未后悔，毕竟那时幸亏有他。只是偶尔张爱玲也会触景伤情，心里会感慨："现在海枯石烂也很快。"

再登巅峰

我们再也回不去了，回不去了。也许爱不是热情，也不是怀念，不过是岁月年深月久成了生活的一部分。

历史翻过那沉重的一页，万物迎来了新生。中国共产党人怀着巨大的信心和魄力，不仅着力改造旧社会的遗留问题，更关注将旧时代的可用之人进行改造。让这一部分人拥有新的思想，树立崭新的意识。于是，社会各阶层都涌动着学习的热潮，到处开会，开展“批评与自我批评”。平日极少出门的张爱玲，也在邀请开会学习之列。当时左翼人士对张爱玲甚为看重，将她列入了争取利用的对象。

百废待兴的上海，聚集着许多热情的人物。夏衍，作为中国新文化运动的先驱者之一，是著名的文学、电影、戏剧作家。抗战胜利后，从重庆回到上海，担任上海市市委常委、宣传部部长、市政府文化局局长等要职。

柯灵此时向他推荐了张爱玲的小说。夏衍读后很是欣赏。于是，在夏衍的支持下，《亦报》诞生了。刊物负责人将张爱玲的小说视为头等重要的作品，此时，唐纪常用心营造千呼万唤的氛围，在刊登张爱玲作品前三天就做出预告，并专门提示读者，乃名家之作。

《亦报》1947 年创刊，主要关注娱乐消遣方面的信息，该报班底就是原《大家》杂志的人员，与张爱玲并不陌生。《亦报》办得有声有色，周作人是其固定撰稿人，化名在此刊物上发表过上百篇小说。另外，丰子恺也在此发表过画作。《亦报》向张爱玲约稿，得到张爱玲的允许，但是张爱玲提出一点，就是用笔名发表文章。向来张爱玲是反对使用笔名的，但是如今历经变迁的张爱玲学会了在时局之下保护自己。

张爱玲取笔名为梁京。她模仿章回小说家张恨水的形式，边写边刊登。而她这次写的小说《十八春》是一部长篇小说，也是张爱玲最长的一部。时至今日，在张爱玲的读者里，许多人独爱《十八春》。

《十八春》讲述的是一个上海故事，和张爱玲所处的时代同步。单就这部小说的名字，就能够引起读者的好奇。仅仅连载数日，就已经得到了读者的热情关注。《十八春》讲述的是平民之女顾曼桢与世家子弟沈世钧的刻骨之恋。原本郎才女貌，情深义重，可无奈命运捉弄，沈世钧因父亲患急病而匆匆赶往南京，而顾曼桢却被身为舞女的姐姐顾曼璐加害，陷进可怕的陷阱里，从此开始她漫长苦难的人生。顾曼璐身患重病，为留住丈夫祝鸿才的心，不惜软禁自己如花似玉的妹妹顾曼祯。祝鸿才糟蹋了顾曼桢，直到她生下孩子为止。沈世钧面对顾曼桢突如其来的消失万分着急。他找到顾曼璐之处询问顾曼桢的消息，顾曼璐故意隐瞒，欺骗他说顾曼桢已经嫁人，再不会回来。沈世钧在心灰意冷之下娶了一个世家女子，而顾曼桢自知已是残花败柳，在姐姐顾曼璐死后，无奈嫁给了祝鸿才。

十八年后，即新中国成立后，顾曼桢和沈世钧相遇，两人痛苦不已。本希望还可以重新开始，奈何命运早已将他们划分为两个世界的人。十八年已经物是人非，顾曼桢含泪说："世钧，我们再也回不去了，回不去了。"仅这一句话，令许多读者痛哭流涕，叹息不已。回首往事，那种无以复加的遗憾，令人感慨万千。这样百转千回的故事，令人义愤填膺的悲剧，吸引了无数忠诚的读者每天随着故事情节的起伏而感慨。

在结局中张爱玲这样描写："……他们很久很久没有说话。这许多年来使他们觉得困惑与痛苦的那些事情，现在终于知道了内中的真相，但是到了现在这时候，知道与不知道也没有多大分别了。不过，对于他们，还是有很大分别的，至少她现在知道，他那时候是一心一意爱着她的，他也知道她对他是一心一意的，就感到一种凄凉的满足。”

后来，张爱玲将《十八春》更名为《半生缘》，“一次错过，误了半生情缘”。倘若不是十八年后的不期而遇，沈世钧大概一生都无法释怀。而顾曼桢得见从前的恋人，可以诉说前因，道尽衷肠，对她来说亦是解脱。尽管这个结局让许多读者痛心，只是前尘如梦，走过的岁月，谁又能回头？张爱玲没有让他们像谜一样活到老去，抱憾终生，已是对其二人的慈悲。

《十八春》是张爱玲在平实写作风格上的一大成功，考虑到1949年后文艺语境的变化，张爱玲的这篇小说一改往日对描写意境的营造，也放弃了以往的灵动与辛辣，代之以朴实的叙事之风，为读者娓娓道来。

在顾曼璐去禁闭室探视的一幕，顾曼祯打了她一掌，怔了半天之后，顾曼璐冷笑一声道：“哼，倒想不到，我们家里出了这么个烈女，啊？我那时候要是个烈女，我们一家子全都饿死了！我做舞女做妓女，不也受人家欺侮，我上哪儿撒娇去？我也是跟你一样的人，一样姊妹两个，凭什么我这样贱，你就尊贵到这个地步？”她越说声音越高，说到这里，不知不觉，竟是眼泪流了一脸。

小说的结尾，张爱玲有意安排了一个光明的结局：顾曼桢和沈世钧不期而遇。后来，两人先后到东北参加建设。而顾曼桢最初的追慕者张慕瑾也适时出现，给了顾曼桢一个隐约可见的美满结局。一切的苦难不幸，皆因新时代的到来而戛然而止。这种结局在当时是比较流行的，这也是张爱玲在适应时代的过程中所发生的改变。《十八春》一经发表，一时间轰动上海滩。小说的描写太过真实，让大众投入其间，其热烈程度更是超乎预料。当时，有个女读者与小说中顾曼祯的命运极为相似，在看了《十八春》后，悲恸不已，专门找至报社，询问张爱玲家的住址，并找到张爱玲痛哭不已。此事让张爱玲诧异不已，无法，最后由姑姑出面好言相劝才得以解决此事。

时有署名“齐甘”的人发表过一篇文章就曾经描述过一件事，说他邻居有位三十多岁的胖太太，经常与他借阅报纸，就为了能及时读到《十八春》。有一天，在读到第163天的报纸时，看到祝鸿才强占了顾曼桢，这位胖太太竟跑来吼着说：“恨不得两个耳刮子打到梁京脸上去！”

《亦报》编辑部也不断收到读者来信，言辞激烈，恳切要求作者千万笔下留情，一定要让顾曼桢坚强地活下去。于是，桑弧不得不再发一篇短文，请读者放心，说作者定会给顾曼桢一个好的结局。

《十八春》的轰动效应，也引起了夏衍的关注。他专门找来龚之方询问梁京是何许人，龚之方坦诚相告，夏衍当时非常高兴，感叹道：“这是个值得重视的人才啊。”当时许多文化名流，也追捧这篇小说。桑弧写了一篇赞词，隆重推荐给读者，写道：“梁京不但具有卓越的写作才华，他的写作态度一丝不苟，也是不可多得的。在风格上，他的小说和散文都有他独特的面目……我读梁京新作所写的《十八春》，仿佛觉得他是在变了。我觉得他仍保持原有的明艳的色调。同时，在思想感情上，他也显出比从前沉着而安稳，这是他的可喜进步。”

当时的《亦报》每天都收到大量读者的来信，那种盛况甚至超越了张爱玲几年前的成就。唐纪常看到《十八春》有如此硕果，便想着要乘胜追击，急着找张爱玲要下一部连载稿。可张爱玲没有答应，她明白盛极而衰的道理，想要在短时间内再写一本超越《十八春》的小说，已是不能。

半年后，张爱玲又写了一部中篇小说——《小艾》，在《亦报》上连载。主人公小艾从小被卖给席家，辛辛苦苦做到十几岁，不幸被席家老爷强奸并怀了身孕，后来又遭席家姨太太毒打而流产。后来，所幸与排字工人金槐结了婚，才得以脱离苦海。小艾与丈夫苦苦挣扎，终于等来了好的时代，人民翻身得解放，小艾期待着自己将来的孩子该是生活在多么的幸福的世界里。但可惜的是，她因身体遭受过摧残，已不能生育了，在幸福中又不免有挥之不去的伤感。

这部中篇小说讲的是一个很纯粹的无产阶级故事，这也是张爱玲创作生涯中的一个例外。在民国时期，曾有人问过张爱玲是否能写无产阶级故事，她的答复是“不大熟悉，要么只有阿妈她们的事情，我稍微知道一点”。但是随着时势改变，作品的主题和风格亦要随之更改，这对张爱玲这个不问时政的人来说太过困难，小说在最后也匆匆收笔。

从声名鹊起、和胡兰成相识到如今历经大起大落，看尽世间百态，才不过六年的光景。然而就是这并不漫长的六年，却仿似耗尽了张爱玲一生的感情、才情和能量，她蓦然回首，已恍如隔世。

去意萌生

1951年10月初，经过半年的时间，继《十八春》之后，张爱玲的第二部作品——《小艾》问世。《小艾》比《十八春》的篇幅要短很多，只有五万多字，主要描述了女主人公小艾几十年的悲苦生活经历。在小说中，小艾对东家的仇恨一直是作者关注的重点。小说的故事情节具有了反映社会黑暗和阶级对立的意味，这也是张爱玲立足时代背景和要求所做出的努力调整。这些调整还包括使用了一些颇具政治色彩的句子，比如“她的冤仇有海样深”，“对于这吃人的社会却是多了一层认识”。此外，张爱玲还在小说里刻意将新旧社会进行了对比：小艾在席家遭受毒打并身患疾病，无能力医治且无人问津；到后来的新社会，小艾得到了很好的治疗，身体逐渐的康复了。

由于要迎合时代特色和众读者的喜好，张爱玲在创作过程中进行了诸多改变。“要什么就给他们什么，此外多给他们一点别的——有什么可给的，就拿出来。”从这几句话中不难看出，张爱玲对于时代政治的态度是有些无奈地应付。

张爱玲在《小艾》中增加了对劳动人民、出身卑微的主人公的细致描述。尤其是五太太这个人物形象的成功塑造，凸显了旧时代大家庭中女人的处境和性格问题。张爱玲由这个人物成功回到了她所熟悉的视角，将一个处境荒谬的旧式大家庭的女人刻画得淋漓尽致。文中有一段描述，仅仅是寻常生活的一个场景，就将五太太的内心活动和大家庭内的尴尬关系显现无遗：

……五老爷就在下首的一张椅子上坐了下来。五太太依旧侍立在一边。普通夫妻见面也是不打招呼的，完全视若无睹，只当房间里没有这个人。他们当然也是这样。不过景藩是从从容容的，态度是十分自然的，五太太却是十分局促不安，一双手也没处搁，好像怎么站着也不合适。先是斜伸着一只脚，她是一双半大脚，雪白的丝袜，玉色绣花鞋，那双鞋似乎太小了，鞋口扣得紧紧的，脚面肉嘟嘟的隆起一大块。可不是又胖了，连鞋都嫌小了。她急忙把脚缩了回来，越发觉得自己胖大得无处容身。又疑心头发毛了，可是又不能拿手去掠一掠，那种行动仿佛有点近乎搔首弄姿。要想早一点走出去，又觉得他一来了她马上就走了，也不大好，倒像是赌气似的，老太太本来就说景藩不跟她好是因为她脾气不好，这更有的说了。因此左也不是，右也不是，站在这里迸了半天，方才搭讪着走了出来。她的手指无意中触到面颊上，觉得脸上滚烫，手指却是冰冷的。

五太太这个人物形象是复杂的，让人可怜亦可恨的，其与小艾的单纯性情形成了鲜明的对比。在作品《小艾》中，张爱玲对小艾与金槐的爱情及婚姻故事一反常态地进行了肯定与认可。尤其写到小艾在丈夫音讯渺茫、生活困苦的情况下，对婚姻也没有丝毫的动摇，而丈夫金槐始终如一地疼惜、体贴妻子，尤其是小艾因病不能生育，对金槐的愧疚之情颇重，而金槐一直宽慰小艾，说他并不介意孩子的事情，但是，对邻居小女孩的喜爱还是透露出他的内心遗憾。文中有这样的描述：

楼下孙家有一个小女孩子很是活泼可爱，金槐总是喜欢逗着她玩，后来小艾和他说："你不要去惹她，她娘非常势利，看不起我们这些人的。"金槐听见这话，也就留了个神，不大去逗那孩子玩了。有一天他回家来，却又笑着告诉小艾："刚才在外头碰见孙家那孩子，弄堂里有个狗，她吓得不敢走过来。我叫她不要怕，我拉着她一起走，我说：'你看，它不是不咬你么。'她说：'刚才我要走过来，它在那儿对我喊。'"他觉得非常发噱，她说那狗对她喊。告诉了小艾，又去告诉冯老太。又有一次他回来，又告诉他们一个笑话，他们弄堂口有一个擦皮鞋摊子，那擦皮鞋的跟她闹着玩，问她要擦鞋子吧，她把脖子一扭，脸一扬，说："棉鞋怎么好擦呢？"金槐仿佛认为她对答得非常聪明。小艾看他那样子，心里却是怅惘。她因为自己不能生小孩，总觉得对不起他。

但《小艾》发表后，并未像《十八春》那样在社会上引起广泛关注。而经过时代的变迁，历经被责骂、被沉寂、被适应的漫长时间，张爱玲内心倦意渐生。加上参加上海市第一届文艺大会的经历，更让她萌生了倦意。

就在《十八春》连载三个月后，1950年7月，夏衍亲自点名，有关方面通知张爱玲参加上海市第一届文艺代表大会。张爱玲颇有些受宠若惊，欣然赴会。那时，她在思想上并不排斥这个活动。这是她生平第一次，也是唯一的一次主动应允并独自出席这样的正式会议。

开这个会，旨在把文艺家们组织起来，加强自我觉悟，更好地为新社会服务。一些当时国统区的作家当场就表了态，表示一定要洗心革面，改造自我。例如流行歌手外号"甜姐儿"的黄宗英，流行歌曲《毛毛雨》的作者黎锦晖，作家巴金、赵景深、靳以等，都在会上慷慨陈词，表示要贬斥旧我，重塑新我。后来，龚之方回忆此事，说："张爱玲当时坐在会场看眼前的光景，心里想的是什么，没有人知道。"柯灵对当时情景的描述更加细致生动，有这样的一番话：

她坐在后排，旗袍外面罩了件网眼的白绒线衫，使人想起她引用过的苏东坡词句“高处不胜寒”。那时全国最时髦的装束，是男女一律的蓝布和灰布中山装，后来因此在西方博得“蓝蚂蚁”的徽号。张爱玲的打扮，尽管由绚烂归于平淡，比较之下，还是显得很突出。（我也不敢想张爱玲会穿中山装，穿上了又是什么样子）。

1950年初，中山装、列宁服虽然风靡一时，但也仅在年轻人和干部中间流行，并不是所有的人都统一穿着的服装。张爱玲在《十八春》中就曾经写到了年轻女子换列宁装、剪头发的事。因此，对于那时的穿衣方式她应该并不陌生。

那个时候，张爱玲有意与时代贴近，也曾用分配给自己的一段湖色土布和一段雪青洋纱做了一件喇叭袖唐装单衫和一条裤子。有一次她穿着这身衣服去排队登记户口的时候，看见穿制服的大汉伏在街边人行道上的一张黄漆小书桌上，操着西北口音在做登记。等轮到张爱玲，他抬头看了一眼，以为是一个老乡妇女，便随口问道：“识字吗?”张爱玲笑着咕哝了一声：“认识。”当时心里真是“又惊又喜”！感觉自己已经脱离了阳春白雪般的知识分子外形，与社会时代契合了。

只是，原本张爱玲出于对会议的重视，非常用心地修饰了一番。她非常希望自己能够尽快适应新的环境。然而，令人没有想到的是，正是这次会议，在某种意义上反而促使了张爱玲的离开。与会上慷慨陈词的热烈氛围形成鲜明对比的是张爱玲的落寞无语、格格不入，想必这给张爱玲带来的冲击亦是强烈的。

她明显感觉到了这距离的存在。会议整整开了六天。在这六天里，她没有为了让自己融入进去而变换着装。穿旗袍与否，对于张爱玲来说是一种事关紧要的姿态问题，是立场问题。生性傲慢的她，对于衣服是非常看重的，她不愿意屈从大多数而刻意改变。

1951年9月，全国开始对知识分子进行思想改造的运动。在大学、文化、科研单位的知识分子中清算剥削阶级思想残余，消除崇美恐美思想，各单位都搞人人过关，这个运动也就是杨绛先生所写的“洗澡运动”，一直延续到次年秋季方告结束。在此期间，文化界还掀起过声势浩大的批判电影《武训传》运动，因为电影是上海的电影公司拍的，连夏衍也难辞其咎，不得不向中央做出了检讨。

对于上海，张爱玲的感受是复杂的。面对上海出现的新时局与新空气，她着实感到茫然与惴惴。其实一直以来，她既讽刺上海人，却更喜欢上海人。她在《到底是上海人》中是这样描述上海人的：谁都说上海人坏，可是坏得有分寸。上海人会奉承，会趋炎附势，会浑水摸鱼，然而，因为他们有处世艺术，他们演得不过火。同时，张爱玲更享受上海的情调与纸醉金迷的味道：隔壁的西洋茶食店每晚机器轧轧，灯火辉煌，制造糕饼糖果。鸡蛋与香精的气味，氤氲至天明不散。

然而，上海已经改头换面，属于张爱玲的那个时代已经悄然远去。

一个接一个的政治运动让张爱玲感到不安。她的家庭出身，她在沦陷时期的经历，以及她与胡兰成的婚姻，还有她写过的作品，随时都可能被拿出来进行政治层面的解读和批判，她不敢想象到那时自己该怎么办。

不忍见破坏，所以离开。到 1952 年初，张爱玲以前所做的“时代是仓促的，已经在破坏中，还有更大的破坏要来”的预言正逐渐在现实中应验。经过权衡，张爱玲最终决定离开“还没有离开就已经在想念了的上海”。

自此，所有的回忆都尘封在过去。

于是，1952 年 7 月，张爱玲离开了上海，去了香港。

重回港大

1952 年 7 月，张爱玲远赴香港。

在离开上海之前，张爱玲已经在构想《五四遗事》的相关内容，因为里边涉及杭州西湖的事情，她在临行前专门参加了旅行社的一个观光团，去西湖一游。杭州西湖的美景并未给张爱玲留下太多美好的印象。几十年后，在她的散文里有一段对此行的回忆：

当时这家老牌饭馆子还没有像上海的餐馆“面向大众”，菜价抑低而偷工减料变了质。他家的螃蟹面的确是美味，但是我也还是吃掉浇头，把汤逼干了就放下筷子，自己也觉得在祖国大陆的情况下还这样暴殄天物，有点造孽。桌上有人看了我一眼，我头皮一凛，心想幸而是临时性的团体，如果走不成，还怕将来被清算的时候翻旧账。

历经时局动荡，张爱玲已然有惴惴不安的心情，生怕被挑错、被清算。

从杭州回来后，张爱玲就开始着手办理赴港手续。她此行持有港大开的证明，上面的理由是“继续因战事而中断的学业”。临行前，张爱玲与姑姑约定，彼此不通信、不联络。走之前，姑姑还把珍藏多年的家族相册交给张爱玲带走，以为这是最妥当的保管方式。此举颇具先见之明，此后，这些照片大多出现在张爱玲晚期的作品《对照记》中。

张爱玲的离开并没有惊动他人，柯灵并不知情。那时，上海电影剧本创作所刚刚成立，夏衍为所长，柯灵为副所长。1949 年之后，自由作家的生存空间越来越狭窄，以致到后来，如果作者没有单位依托，作品是很难发表出来的。鉴于此，夏衍想要邀请张爱玲当编剧，但遭到反对，事情只能被暂缓。此事还未通知到张爱玲，她就已经悄然赴港。后来夏衍得知此事也甚为惋惜。夏衍还寄信给张爱玲的姑姑，请张爱玲在香港给《大公报》《文汇报》写点文稿。但是姑姑拒绝了，说无从通知，此事就此结束。

1952 年初，出境检查还不算非常严格，但也不轻松。张爱玲说："幸而调查得不彻底，不知道我是个写作为生的作家，不然也许没这么容易放行。一旦批准出境，那青年马上和颜悦色起来，因为已经是外人了，地位仅次于外国友人……"

批准出境后，张爱玲仅带了简单的行李，就出发了。她需要乘火车先到广州，然后从广州至深圳出境。到达深圳后，她来到罗湖桥头进行海关检查。那时，她的护照用的是笔名，而检查过程中，却被工作人员认出了，问："你就是写小说的张爱玲?"张爱玲当时担心极了，生怕出问题。但那人只是笑笑就放她过去了。

离开内地后，张爱玲在作品《浮花浪蕊》中细致描述了申请出境的不易。主人公洛贞从罗湖桥出境的一幕，其实正是张爱玲经历的反应，也印证了张爱玲当时的感受和心理体验：

桥头有一群挑夫守候着。过了桥就是出境了，但是她那脚夫显然还认为不够安全，忽然撒腿飞奔起来，倒吓了她一大跳，以为碰上了路劫，也只好跟着跑，紧追不舍。

是个小老头子，竟一手提着两只箱子，一手携着扁担，狂奔穿过一大片野地，半秃的绿茵起伏，露出香港的干红土来，一直跑到小坡上两棵大树下，方放下箱子坐在地上歇脚，笑道："好了，这不要紧了。"

……洛贞跑累了也便坐下来，在树荫下休息，眺望着来路微笑，满耳蝉声，十分兴奋喜悦。

故地重游，如今物是人非，青春已逝。此时的张爱玲思绪万千，内心百感交集。正如《十八春》中，张爱玲说的："政治决定一切。你不管政治，政治要找上你。"但同时她也是兴奋的，久违的自由感油然而生。

此时，张爱玲的母亲专门给她写信，让她去找自己的多年好友、香港大学的教师吴锦庆夫妇帮忙。吴锦庆夫妇热心地给香港大学文学院院长贝查写信推荐，帮助张爱玲申请复学助学金，并提醒张爱玲早日准备注册入学。

然而，事隔多年，又经历港战一劫，学校里有关张爱玲的档案资料大多已无从查找，倘若重新注册又要面临许多实际困难。最终，贝查院长终于从中斡旋促成。当时，贝查院长提出三点理由说服学校：其一，1941 年张爱玲曾获得何福奖学金，是当时最优秀的学生之一；其二，张爱玲现在处境困难，应该受到援助；其三，既然是复读，理所应当受到助学金资助。终于在 8 月 20 日，张爱玲在港大重新注册入学，并被允诺补助 1000 元助学金。只是，助学金什么时候下发却成了未知。

就在张爱玲经济窘迫之时，远在日本的炎樱给她来信了。在信中炎樱提到可以为张爱玲在日本找一份工作以解决目前的经济困难，同时也可以顺便打探一下从日本转至美国的情况。昔日挚友的一番邀请，让张爱玲颇为动心，于是她当即决定去办理离港备案等相关手续。然而，当张爱玲满心欢喜地来到日本后，才发现在异乡生存的艰辛。

眼见在日本呆不下去了，1953 年 3 月，张爱玲再次回到港大。8 月才刚刚重新注册入学，11 月份就离开，来年初又折返回来。如此反复的行为惹怒了校方，学校断然拒绝了张爱玲的重新入学申请，注册处的主任还写信向她追讨欠下的学费，共计457元。张爱玲也不甘示弱，回信说校方曾经允诺发放的助学金并未到位，理应补发给她。就这样，经过一番争执，最后双方达成协议，张爱玲所欠学费可以分九次付清。

虽然事情终于得以平息，但张爱玲和学校的关系已经彻底闹僵，也惹怒了当初给予她帮助的贝查院长。为了缓和僵局，后来张爱玲还带着家里祖传的一套古董去贝查院长家致歉。只是，虽然把东西送出去了，他们的关系却并未好转。为此，张爱玲亦是懊恼不已。

后来，张爱玲去往美国后，一直多次致函港大，希望校方出具其在校期间的相关证明。由于其与港大之间的纠葛，港大一直未有回应，甚至直到张爱玲向英国驻美国大使馆求助，此事才算了结。

日本谋生无路，港大求学无门，此时的张爱玲只有继续通过自己的努力去找工作。那时，英国东南亚专员公署正在招聘翻译，有意雇用张爱玲，于是派人上门对她的背景进行调查。不料，在调查至港大的时候，校方有人反映说她来自内地，又反复入学，行踪隐秘，怀疑“可能是共产党特务”。此言论一出，不仅即将到手的工作没有了，张爱玲还被当时警察局传唤多次进行调查。

就在内忧外患之时，张爱玲终于在美国新闻处谋得一份翻译的工作。这个机构是美国驻港领事馆的新闻处，简称美新处。该机构主要负责收集香港及全中国的相关信息新闻，也做一些中美文化交流的相关事情。当时，美新处有一个美国书籍中译计划，意在将美国的一些文学作品翻译成中文并在香港出版发行。此工作需要水平较高的翻译人才，张爱玲恰逢其时。

张爱玲并不属于美新处的雇佣员工，只是负责翻译文稿的工作。此期间，她先后翻译过海明威的《老人与海》，玛乔丽・劳伦斯的《小鹿》，马克・范・道伦编辑的《埃默森选集》，华盛顿・欧文的《无头骑士》。其实，张爱玲对这些文学作品并不感兴趣，但出于生计考虑不得不为之，

“好像同自己不喜欢的人谈话，无可奈何的，逃又逃不掉”。

这一时期，张爱玲结识了同在美新处做译员的邝文美女士及其丈夫宋淇。宋淇先生笔名林以亮，是著名戏剧家宋春舫之子，1940 年毕业于燕京大学西语系。宋淇于 1948 年来到香港，先后在美新处书刊编辑部、电影业公司和邵氏电影公司任职。他对中国古典文学有着很深的感情，对《红楼梦》的见解也非常独到。40 年代宋淇夫妇曾经在上海生活，对张爱玲早就听说过，更是她的热心读者，这一次在香港邂逅，夫妻俩给张爱玲提供了很多帮助。

伊始，张爱玲住在女青年会，翻译的作品陆续出版后，有一些读者慕名前来，到她住处拜访。张爱玲对此甚感不安，宋淇夫妇便在自己家附近为她租了一间房子，虽不华丽却也能安心工作和生活，彼此之间的联系就更为频繁了，从此他们成了终生挚友。

渐渐地，生活开始明朗起来，张爱玲再次开启了自己的创作生涯。在平日翻译工作之余，她开始着手写英文小说《the rice sprout song》，就是后来的著名小说《秧歌》。这是第一次用英文写小说，张爱玲心里并没有把握，就将初稿拿给宋淇夫妇过目。经过一番商榷后才将稿件寄给了美国出版商。这期间，美国作家马宽德来中国访问，美新处负责人麦卡锡接待，就把张爱玲介绍给他认识。

张爱玲将《秧歌》的前两章拿给马宽德看，并请他指点。马宽德连夜看完后，打电话给麦卡锡，说这是一个好作品，并带回至美国给出版界大力推荐，推动此作品在美国日后的出版。

《秧歌》最后由查理·司克卜纳理出版社出版发行。一经问世，就得到了读者的广泛好评。《纽约时报》的主栏和书评专栏连续两次对该小说发表评论，《星期六文学评论》等级别比较高的杂志也刊登出佳评。

时过不久，一向选文严格的《时代周刊》也登出评论，给予了高度评价。再后来，小说被改编成电视剧在美国国民广播电台播出。此后，张爱玲亲自动手，将《秧歌》翻译成中文在香港《今日世界》杂志上连载。随之而来的针对这部小说的议论一直绵延至今，但是无论哪一派别，都不可忽视。从这部作品中可以看出张爱玲的文风已经改变，与之前的《小艾》风格迥然。

这就是张爱玲，一个传奇的女子，一个不受约束的女子，一个不可捉摸、备受争议的女子。离开内地远赴香港，她的生活已然出现转折，却没有人可以断定孰是孰非。就在这样的华美城市，经历着艰辛与收获，喜悦与不安，幸而有挚友陪伴在侧，度过了又一个波涛起伏、炫丽苍凉的三年时光。

第五章　美利坚故事

也许，命运注定了要她一生颠沛，她自己也说像极了浮世的尘埃。当她厌倦了俗世的种种，选择让心灵找寻一份安宁时，她幸运地遇到了心灵的伴侣。这段超越国界、语言和年龄的爱恋，让她几近绝望和死寂的心重新燃起了对生活的希望。

拜会胡适

1954 年 10 月 25 日，也就是在《秧歌》的中文版出版一年之后，张爱玲寄了一本自己的小说给在美国的胡适，并随书附寄短信一封。在信中张爱玲提及，曾经读过胡适关于《醒世姻缘》和《海上花》的考证，印象非常深刻，恳请胡适读一下这本《秧歌》，希望这本书能够如胡适曾经给《海上花》所做出的评价一般，具有“平淡而近自然”的意味。

数月之后，胡适给她回了信，说：“你这本《秧歌》，我仔细看了两遍，我很高兴能看见这本很有文学价值的作品。你自己说的‘有一点接近平淡而自然’的境界，我认为你在这个方面已经做到了很成功的地步。这本小说，从头到尾，写的是‘饥饿’——也许你曾想到用《饿》做书名，写得真好，真有‘平淡而近自然’的细致功夫……我真感觉高兴，如果我提倡这两部小说（按：指《醒世姻缘》和《海上花》）的效果单止产生了这一本《秧歌》，我也应该十分满意了。”

张爱玲收到胡适的回信后欣喜不已，对于胡适的评论如此细致亦是感动不已。几年后，胡适将他阅读过的那本《秧歌》寄还给张爱玲，只见书本页面上满是圈点标注，并在扉页上还有题字，张爱玲见状更是感动得无以复加。

50 年代的中国，正值冷战高峰，内地的政治运动波涛不断。即使在香港，张爱玲仍然是担忧的，害怕哪一天又要被清算、被批判。这种不安的焦虑情绪一直萦绕在她的心头，就像《浮花浪蕊》中的女主人公一样，对内地的形势倍感恐慌，她甚至觉得离开内地来到香港也还不够，即便明知去日本前途渺茫，仍然决意离开，说道："走得越远越好。"此番描述，想必也印证了当时张爱玲的内心想法，或许移居国外的想法已然生出。

1953 年，美国颁布了一则难民法令，允许少数具备专长技艺的外国人到美国，日后可申请为美国公民。其中，整个远东地区的名额指标有五千个，三千给本地人，两千给外地人，张爱玲属于后者。

1955 年，张爱玲向美国方面提出了入境申请。而那时，内地也并没有将张爱玲遗忘。1953 年间，唐纪常曾托从内地赴港的人带给张爱玲一封信，信是夏衍授意写的，劝张爱玲不要去美国，如若回到上海最好，不能的话，留在香港也是好的。遗憾的是，这封信最终没有送到张爱玲手中。

当年秋天，张爱玲乘坐克里夫兰总统号轮船离开香港，远赴美国。前往码头送行的是宋琪夫妇。张爱玲一回到船舱就给宋琪夫妇写信，船经过日本时，这封长达六页的长信就寄出了，信中说道："别后我一路哭回房中，和上次离开香港的快乐刚巧相反，现在写到这里也还是眼泪汪汪起来……"此去异乡，张爱玲凄惶无助的心情展露无遗。

船是在旧金山入境的。审查张爱玲身份的海关工作人员是一个日本裔的青年，张爱玲身高大概一米六八多一点，相当于英制的五尺六寸半，结果这位海关工作人员将其身高登记为六尺六寸半，相当于一米九多。张爱玲感到很有意思，说这是一个"弗洛伊德式的错误"，戏称是因为那日本青年的矮，看到瘦高的张爱玲，从而产生了自卑情结导致的笔误。

入境后，张爱玲在旧金山稍作休整就乘火车直奔纽约，与炎樱会面。同时，张爱玲还急于拜见一个人，那就是胡适先生。

50 年代初时，胡适所主张的杜威式的自由主义，在台湾并不受蒋氏父子的重视，而在祖国大陆，胡适的思想论调更是受到口诛笔伐，被批驳得体无完肤。1949 年 4 月，胡适脱离政坛，从上海也是乘坐着克里夫兰总统号到达美国，开始他的落寞闲居。

第二年，胡适的夫人江冬秀也来到纽约。而此时的胡适情绪依旧低迷，学术上也并不顺利，虽然他荣获了几十个美国大学授予的博士学位，还曾在哥伦比亚大学就读过，但在美国谋职依然面临许多困难。直到1950年5月，胡适才在普林斯顿大学葛斯德东方图书馆谋得一个管理员的职位，两年后卸任。

1955年11月，张爱玲到纽约后一个星期即去拜会胡适。由于是首次拜访，为了不显突兀，张爱玲和炎樱一同前往。纽约东城81号街上，有一排白色小洋房，门洞里有楼梯，完全是港式的公寓房子，胡适的住所就在这里。那是个周日的午后，慵懒的日光，港式的洋房，这一切都让张爱玲恍惚生出还在香港之感。

上楼，进门。室内的陈设也是倍感熟悉，中国式的堂屋，清一色的红漆木桌椅，古色古香的纹图花瓶，一切都是属于中国的味道，一股思乡之情油然而生。

胡适先生身着长袍，太太江冬秀一侧站着，说话中还带着点安徽口音。据后来张爱玲描述，胡适的太太是“端丽的圆脸上看得出当年的模样，两手交握着站在当地，态度有些生涩……她也许有些地方永远是适之先生的学生”。

初次拜访后，张爱玲又去过胡适家一次。关于书房的描述：“书房里，整个一面墙上是一溜书架，几乎高齐屋顶，造型简单，但似乎是定制的。可是这书架不是放书的，全是一沓沓的文件夹，多数都乱糟糟地露出一截纸。这大约是先生作《水经注》考据用的，整理起来不知要耗多少时间与心力。”张爱玲自言与这位前辈谈话“确是如对神明”，不敢有半点松懈，“是像写东西的时候停下来望着窗外一片空白的天，只觉得那空茫里蕴藏着很多，但又不知究竟有什么”。胡适对她也是颇为关心，担心张爱玲一人在外孤独，感恩节时特意打电话邀请她到中国餐馆吃饭。

通过交谈方才发现，原来张爱玲和胡适还是有一些渊源的。在张爱玲很小的时候，就看过放在父亲书桌上的《胡适文存》，而家中存有的《海上花》也是先读过胡适先生的考语才去寻来的。《醒世姻缘》则是张爱玲早时候问父亲开口要钱买了来的。

胡适的父亲则与张爱玲的祖父张佩纶有过来往。光绪七年，张佩纶写信介绍胡适的父亲胡传，去面见一位有实权的朋友，此举开启了胡适父亲胡传的职业生涯。后来，张佩纶遭到贬谪，胡适的父亲胡传曾经致信宽慰并寄去银钱两百元，张佩纶甚为感动，在其日记中有专门描述。

抗战结束后，各大报纸又一次刊登胡适回国下飞机的照片。照片上的胡适笑容满面，打着圆点蝴蝶结式的领结，张爱玲姑姑看了笑道："胡适之这样年轻！"那时的胡适对时局还抱有颇高的期望。丝丝缕缕的前缘于今日真人得见，时空的交叠与奇妙让人不由感慨万分。

初到异地，张爱玲住在炎樱家中，后来救世军办了一个职业女子宿舍，就搬了过去。救世军是基督教的慈善团体，主旨救济贫民，住在此处自然不会体面，"谁听了都会骇笑，就连住在那里的女孩子们提起来也都讪讪地嗤笑着"。这女子宿舍的场景也是怪异的，对于入住的人，虽然有年龄的限制，但也是有差异的，甚至有些年长的女士，似乎和教会有联系，打算在此处终老的。其中，管事的老姑娘都称为"中尉"或者是"少校"，而餐厅里为大家代斟咖啡的服务人员，都是从街上收容来的流浪人员。对于生性孤傲的张爱玲来说，选择住在这里也是分外纠结的决定。

令她感动的是，胡适先生有一天专门来至此处看望张爱玲。她请胡适先生到客厅就座。而所谓的客厅，不过是黑洞洞的闲置多年的一个学校礼堂，里面有个讲台，还有一架破旧的钢琴，讲台下面七零八落散放着一些破旧的沙发。因为空置多年又鲜有人来，显得尤为破败寥落。

张爱玲也是第一次到此。她望着眼前一切，对着胡适只是无奈地笑笑。但胡适却称赞很好。坐了一会儿出来，胡适一面四处看看，一面说很好。这时，张爱玲似乎意识到，胡适口中的很好并不是指环境好，而是对于她能够在如此环境下还能安之若素的心态表示赞赏。

对于此次见面的情景，多年以后，张爱玲仍然记忆犹新：

我送到大门外，在台阶上站着说话。天冷，风大，隔着条街从赫贞江上吹来。适之先生望着街口露出的一角空蒙的灰色河面，河上有雾，不知道怎么笑眯眯地总是望着，看怔住了。他围巾裹得严严的，脖子缩在半旧的黑大衣里，厚实的肩背，头脸相当大，整个凝成一座古铜半身像。我忽然一阵凛然，想着：原来是真像人家说的那样。而我向来相信凡是偶像都有“黏土脚”，否则就站不住，不可信。我出来没穿大衣，里面暖气太热，只穿着件大挖领的夏衣，倒也一点都不冷，站久了只觉得风飕飕的。我也跟着向河上望过去微笑着，可是仿佛有一阵悲风，隔着十万八千里从时代的深处吹出来，吹的眼睛都睁不开。那是我最后一次看见适之先生。

1956 年 2 月，张爱玲搬离纽约，去了新英格兰。1958 年，张爱玲申请到南加州亨廷顿・哈特福基金会住半年，并享受写作资助。此时，她曾写信给胡适先生请求其为她担保，胡适应允。就在同年，胡适返回台湾，此消息也是张爱玲在读报纸时看到的。

1962 年，胡适先生心脏病发作，几天后逝世。就这样，在异乡能够给予张爱玲星点温暖的人离去了。张爱玲得知胡适先生不在人间的信息后，心情惘然，“那种仓皇与恐怖太大了”。历尽漂泊却无处安身，历经动荡却终不得安稳，倾尽所有激情却终换不得想要的温暖。茫茫大洋彼岸，为谁风露立中宵？

相遇赖雅

时至1956年2月，转眼间张爱玲来到美国已经四个月了。由于她的英文小说《秧歌》销路并不好，没有再版，因此并未给她带来预想的经济收益。而此时，她也没有新作品问世。作为一个职业文人，此种情况自然直接影响到生计。于是，张爱玲决定效仿一些美国作家，向写作基金会之类的组织请求帮助。

1956年2月，张爱玲向位于新罕布什尔州的麦克道威尔文艺营写信请求帮助，同时请她的代理人玛莉·勒德尔作保，又找了司克卜纳理出版社的主编哈利·布莱格和著名小说家马昆德做她的保证人。这封信的内容大致如下：

亲爱的先生/夫人：

我是一个来自香港的作家，根据1953年颁发的难民法令，移民来此。我在去年10月份来到这个国家。除了写作所得之外我别无其他收入来源。目前的经济压力逼使我向文艺营申请免费栖身，必能让我完成已经动手在写的小说。我不揣冒昧，要求从3月13日至6月30日期间允许我居住在文艺营，希望在冬季结束的5月15日之后能继续留在贵营。

张爱玲敬启

在3月2日，文艺营回信，应允了她的入住申请。

3 月中旬，张爱玲离开纽约，先乘火车到波士顿，再转长途巴士到新罕布什尔州。到了彼得堡市区，又雇了一辆计程车，到市中心数千米外的麦克道威尔。一路历经“长途跋涉，舟车劳顿”。

此时的彼得堡已经进入冬天。前几天这儿刚下过一场大雪，雪后天气带着凛冽的寒意。张爱玲坐在计程车里，衣衫单薄，刺骨的寒冷混着疲惫和漂泊感让她倍感孤独。到达目的地时天色已晚，距离市区也很远了，外面漆黑一片，什么都看不清楚。忽然，张爱玲看到前面有一座灯火通明的大厅和几十所透着灯光的小房子。远远望去，就像是欧洲中世纪的小城堡。灯光柔和，似有若无的音乐飘荡在空气中，恍如世外仙境。“这是中国的桃花源吗?”张爱玲想着便笑了。车越开越近了，可以看到门前车道两旁耸立着的参天大树。地上残雪未消，踏上去“簌簌”有声。张爱玲的心突然安稳了下来，仿佛似曾归来。麦克道威尔文艺营就在眼前了。站在门外，张爱玲就听到里面的声音，还不时传出欢笑声。她默默地在心里说：“你好，麦克道威尔！我来了！”

麦克道威尔文艺营建于 1907 年，由著名作曲家爱德华·麦克道威尔的遗孀玛琳·麦克道威尔所创立。它坐落在新罕布什尔州的群山密林之中，是由 40 多栋大小房舍、别墅、工作室、图书馆等构成的建筑群，景色宜人，可谓世外桃源。建立文艺营的初衷是赞助有才华的文学家和艺术家，暂时摆脱世俗的干扰，在一种宁静的环境下专门从事创作。

张爱玲来到文艺营后，被安置在女子宿舍，她还拥有了一间环境幽静的属于自己的工作室。这几年饱经动荡漂泊，张爱玲终于有了这么一个安稳的写作环境，自然倍感欣慰。张爱玲不擅长社交活动，她来到这里的目的是为了她的创作计划，她希望能在这里写出她继《秧歌》后的第二本英文小说，这一部英文小说就是 pink tears，中文翻译为《粉泪》。这部小说是《金锁记》的拓展本。当年，《金锁记》在上海风靡一时，张爱玲对这部小说极有信心，希望借此小说的出版发行，打开美国的写作市场。她要效仿林语堂的写作方式。林语堂此时在美国从事英文写作，在美国出版界和读者群中都有很大的影响力。他的小说《京华烟云》甚至获得了诺贝尔文学奖的提名。

在营地中生活，自然就少不了认识一些艺术家朋友。文艺营的生活方式是严格有规律的：早晨一起共进早餐，然后各自回到自己的工作室，努力创作。为了避免他们创作中断，午餐都是放在一个小篮子里，摆在工作室入口。下午4点之后可以欢聚和娱乐，晚餐则是在文艺营大厅集中享用。文艺营是张爱玲在美国生活中难得的平静时期。尽管没有实际收入，但阶段性的衣食无忧，让她的精神得到了放松。张爱玲把全身心都投入文学创作中去，很少参加社交活动。

3月13日，是一个转折性的日子。那一天，张爱玲第一次在大厅里遇到了赖雅。文艺营的大厅是艺术家们快乐的大聚会场所，有各种艺术门类，各种风格的艺术家们在此相互交流。那时，赖雅正与一群艺术家们举杯喝酒。张爱玲初来乍到，又不认识什么人。况且，这里的东方人极少，一时间她倒显得引人注目。

张爱玲随手拿起一本文学杂志，坐在沙发的角落里就翻看了起来。那时，张爱玲已经注意到赖雅，那个风度翩翩的老人，他是整个大厅里最活跃的人物。同时，赖雅也注意到了张爱玲，一个显得有些郁郁寡欢、不合群的东方女人。

“小姐，我以前好像没有见到过你！”赖雅微笑着举着酒杯来到张爱玲面前，开启了二人的首次交谈。

“我从中国来！”张爱玲礼貌地回答。

赖雅被眼前这位既庄重大方又有些清冷的女人吸引了。四目相对时，张爱玲的心中有一种强烈的触动，但又说不清究竟是什么感觉。这正如她在一篇文章中所说的：“于千万人之中遇见你所要遇见的人，于千万年之中，时间的无涯的荒野里，没有早一步，也没有晚一步，刚巧赶上了，那也没有别的话可说，唯有轻轻地问一声：‘噢，你也在这里吗?’”

“对不起，我们明天有机会再谈好吗?”赖雅礼貌地对她说。

那一晚，张爱玲回到工作室后，心里久久不能平静。

赖雅的全名叫甫德南·赖雅，1891 年出生在美国费城一个德国移民家庭。他从小便会讲流利的德语，5 岁时随父亲横穿大西洋去德国探亲。早在孩提时代，赖雅就能即兴赋诗，显示了他出色的文学天赋。17 岁时，赖雅就读宾州大学文学专业，后进入哈佛大学攻读硕士学位，毕业后在麻省理工学院任教。后来他辞去教职成为一名自由撰稿人。赖雅知识渊博，表达能力出色，很多美国著名作家都曾是他的好友。但他骨子里是一个流浪者，不喜欢被婚姻所束缚。

1914 年 7 月，他与吕蓓卡·郝威琪结婚。这位女士是一个活跃的女权主义者。他们两人的性格似乎都不适合过家庭生活。赖雅结婚时，父亲曾送他一笔钱作为贺礼，希望他能把新房好好装修一下，而他却将这笔钱全部消费在纽约最豪华的饭店。父母要来看他时，他不得不事先把其他东西典当来租家具以作敷衍。因此，两人婚后是各干各自的事情，聚少离多。

1920 年，赖雅在《麦克劳氏杂志》上连载了一篇名为《人、虎、蛇》的中篇小说，获得 2000 美元的稿酬。随后，他去了欧洲，先后旅居在巴黎、柏林、英国及土耳其，并有机会访问了更多的文学界重要人物，如庞德、福特等人。女儿菲丝的出生曾一度使他很着迷，他试图和妻子商定过一种较为正常的家庭生活。因此，他们在缅因的罗宾汉一起生活了一年多。然而，琐碎的家庭生活更加深了两人之间的矛盾。1926 年在吕蓓卡的要求下两人结束了这种名存实亡的婚姻生活。

离婚后，赖雅的时间主要分成两部分，一部分是住在纽约布鲁克林的公寓；另一部分是和以前一样周游世界各地。什么时候需要用钱了，他就把文章出售给诸如《女士家庭杂志》和《红皮书》等刊物。这些文章从某种意义上来说是为了维持生活而出售的一种商品，因此，这些文学作品既经不起推敲，又不够严肃。

1931 年 8 月，赖雅应朋友电影导演约翰·休斯顿之约去好莱坞当编剧。赖雅动身前，他的朋友诺贝尔文学奖获得者辛克莱·刘易士预言他会一夜成名。然而，此人的预言并没有成真。

赖雅的横溢才华虽然备受制片人和导演的欣赏，但好莱坞每周至少 500 美元的高薪，让他沉浸于“梦幻工厂”的享乐之中。同时，他生性热情，总是热心为朋友修改稿子，把大量的金钱和时间都贡献给了朋友。

赖雅曾为捷克记者和德国舞台导演移民到美国做保人。30 年代的好莱坞是左翼思潮的大本营，在那里，赖雅成为马克思主义的信徒。此后，他便以一个激进的左翼作家的形象著称于世。但他并没有加入美国共产党，只是亲密的同路人。

40 年代，由于反法西斯战争，好莱坞拍摄了一些正面描绘苏联社会的电影。1942 年的《斯大林格勒的好男儿》即出自赖雅之手。1950 年左右，赖雅应布莱希特之邀到德国去，希望能再次联手大干一场。作为左翼作家，布莱希特的名声在 40 年代扶摇直上，甚至享誉世界。然而，他对赖雅的态度却前后判若两人。

虽身为共产党人，但布莱希特为人自私、势利，性情爽直的赖雅对此很反感。没过多久，他就不辞而别回到了美国。布莱希特察觉到了异样，便写了几封信欲挽回友情，但是赖雅感觉他并不真诚，也没有回复。

值得一提的是，尽管赖雅对布莱希特很反感，但他不会因此而轻视他的作品，他依然热情地向大众推介布莱希特的作品。1943 年，赖雅不幸摔断腿，还患上了轻度中风。此后，身体状况每况愈下。1954 年，他又一次因中风而住院。随着年华老去，他的创作精力也日益减退。

晚年的赖雅几乎没有什么积蓄。1956 年冬，他申请到麦克道威尔文艺营的居住。这一次，他遇到了张爱玲，一个与之偕老的东方女性。

第二天晚上，在大厅里，张爱玲的心里开始莫名地惦念着那位赖雅先生，她开始偷偷地四处寻找，还是没有看见他，张爱玲的心里不禁泛起一丝失望。

“爱玲小姐，晚上好!”张爱玲回头一看，正是赖雅，微笑着看着她。

“你好！赖雅先生!”

“叫我甫德吧，朋友们都这么叫我。你的英语说得很地道，你来美国很久了吗?”赖雅诚恳地问。

“不，我来美国才半年。我一直都呆在纽约。”张爱玲回答道。

“是吗?!”赖雅颇感惊讶，听到张爱玲一口流利而地道的英文，他以为她已经来美国很长时间了。

两天后，一年里最猛烈的一场暴风雪袭击了这一地区。一夜之间，整个大地银装素裹，天寒地冻，冷冽彻骨。张爱玲还从没有经历过这么寒冷的冬天。文艺营的艺术家们都聚集在大厅中取暖，唯有张爱玲和赖雅在外面走廊聊天。随着谈话内容渐深渐多，二人愈发有“相见恨晚”的感觉。在听完彼此的经历后，他们都不禁感叹人生的无奈与奇妙。

忘年爱恋

1956年3月底，张爱玲和赖雅已经渐渐熟悉，开始到彼此的工作室里作客。4月1日，大家在大厅里共享复活节的正餐，张爱玲把她的小说《秧歌》拿给赖雅看，希望得到他的指正。

雪后初霁的日子，清冽而又明净，赖雅轻轻敲开了张爱玲工作室的门，邀请她一起出门走走。

山中本就景致盎然，下雪后更是平添不俗意境。张爱玲和赖雅在雪地上走着，有声的脚步伴随着无声的静默，赖雅取出了那本《秧歌》还给张爱玲。

“你不喜欢，是吗?”张爱玲小心翼翼地问。

“不，爱玲，没想到，你的文章写得那么漂亮，文笔又是如此优美。”赖雅认真地说。

“可是……”张爱玲仍然颇有顾虑，毕竟小说和这位眼前的读者出自不同的国情和政治背景，她不敢想象赖雅能够欣赏这样的作品。

接着，赖雅真诚的话语打消了她的顾虑，“可是政治观点和艺术并没有什么必然的联系”。

二人在路边的一块大石头上坐了下来。赖雅开始给张爱玲讲他人生中的一些成功和精彩，带着些许传奇色彩和浪漫情怀。

1908年，年仅17岁的赖雅进入宾夕法尼亚大学攻读文学专业。20岁以前，他就创作了不少诗，以及一部名为《莎乐美》的诗剧，成为颇有知名度的青年作家。1912 年，他进入哈佛大学攻读文艺学硕士学位。1914 年，他凭借一部《青春欲舞》的剧本，被乔治・贝克教授吸收到著名的戏剧研究组去。这部戏剧入选为在彼得堡召开的麦克道威尔戏剧节的作品。1914 年，他离开大学，成为《波士顿邮报》驻欧洲的战地记者，报道第一次世界大战。回到美国后，他住在纽约的格林威治村，并开始过一种自由撰稿人的生活。在那里，他以其颇有魅力的个性结识了许多好友，其中包括华莱士・史蒂文斯，第一位获得诺贝尔奖的美国作家辛克莱・刘易士以及其他美国著名文人。

1917 年，赖雅曾经在一夜之间完成一则短篇小说，并被当时颇有声望的《星期六晚报》刊登。1916 年至 1920 年，赖雅写过各种类型的文章发表在诸如《新共和国》《哈泼氏》等杂志，及《星期六晚邮报》上。内容从英国诗人济慈到外国烹饪，包罗万象。他有一个理想化的观点，他坚信美国中西部是美国文化的中心地，必将产生出伟大的作家来，同时又时刻提点着制度上的缺陷，关心着这个国家的过去和未来，也算是“意气风发、挥斥方遒”。1927 年客居柏林时，赖雅结识了德国剧作家贝托脱・布莱希特，自此成为莫逆之交。30 年代在美国，赖雅的知名度比布莱希特大得多。赖雅为宣传布莱希特的作品，一直不遗余力。

1933 年初，德国的纳粹势力猖獗，布莱希特从德国逃亡出来。赖雅热情地向他伸出了援助之手，设法将他的家眷弄到美国，并将他们安顿在加州的圣太莫尼卡。赖雅是布莱希特在美国本地少数几个作家朋友中较好的一个。赖雅与布莱希特合作过两部电影剧本，协助布莱希特好几部戏剧的修改和演出，又是《伽利略传》的主要英文翻译者。布莱希特经常给赖雅讲一些马克思主义方面的基本知识，更坚定了赖雅的政治立场。1949 年布莱希特离开美国后，赖雅是他所有作品的正式代理人。后来。布莱希特成立著名的“柏林剧团”时，赖雅是唯一被正式邀请赴德成为永久团员的美国人。

张爱玲对于这些事深信不疑，还听得津津有味。赖雅曾经张扬的人生，恰好与张爱玲对于“恣意”和“轰轰烈烈”式的人生的期盼不谋而合。两个人开始在愈发浓重的夜色中，彼此惺惺相惜，情感上相互取暖。

转眼间进入春天，料峭春寒逐渐退去，融融暖意带着新生即将到来。张爱玲与赖雅之间的关系也随着回暖的天气越来越亲密。赖雅的风趣幽默和宽厚仁慈，渐渐冲淡了张爱玲心头的愁苦情结。

他们时常于晚饭后携手外出散步。交谈内容海阔天空，虽然观点有不一致的时候，但是他们并没有产生矛盾，因为二人并不以说服对方为最终目的，只是在真诚信任的基础上各抒己见。这种和谐而有趣味的相处方式进一步拉近了二人的距离。同时，张爱玲正致力于小说《粉泪》的创作，赖雅也经常到她的工作室给予建议和指导。到了5月，他们的关系已非常亲密，俨然成为热恋的情侣，形影不离。

然而，好景不长，正当在热恋中的二人不得不面临分别。按照规定，入住的文艺人士在文艺营的逗留时间是有期限的，冬季为4个月，夏季则更短。赖雅的期限是到5月14日，他将转到纽约州北部的耶多文艺营去。

临行，张爱玲坚持到车站送别赖雅。车站里人影稀疏，到处弥漫着临别的伤感。张爱玲跟赖雅谈到了一些很现实的问题，比如她的代理人、出版商、美国市场以及她经济上存在的问题，用最稀松平常的话语掩饰着自己内心的不舍。

手头拮据的张爱玲还是拿出一些现款交给赖雅。骨子里传统的情节永远都在，临行、送别、赠银两。赖雅被张爱玲的一片赤诚之心感动了。“此去经年，应是良辰美景虚设，便纵有千种风情，更与何人说?”

赖雅在耶多文艺营的期限只有六个星期。期满后，他搬到萨拉托卡泉镇的罗素旅馆中去。7月5日，他收到张爱玲的信，信中说她已怀孕。赖雅诧异不已，如今他已离婚30年了，身体不好，创作力减弱，无固定收入且居无定所。思考再三，赖雅写下了一封激情洋溢的求婚信。那时候，张爱玲已经结束了在文艺营的生活，并获准在10月可以重返营地。这段时间，她暂租住在纽约市第99街一位营友罗丝·安德逊的公寓里。

两天后，张爱玲亲自来到了萨拉托卡泉镇。走在小镇的街头，古色古香的街灯发出幽暗朦胧的光。张爱玲与赖雅聊了很久，赖雅再次向她求婚。但是，赖雅坚决不要孩子，他称孩子为“东西”。当时张爱玲已36岁，迫于生活颠簸动荡，赖雅身体又不好，张爱玲最终听从了赖雅的要求，做了流产，这也是她人生中唯一一次做母亲的机会，很难想象她在内心经历了怎样一番艰难而痛苦的挣扎！

她在英文小说《赤地》中增加了女主角为共产党干部当情妇后，做人工流产的情节描述，其中有对临床体验的描写以及心理动态的刻画，字里行间透露出的痛苦之情，想必也是她自己亲身体验的映照。后来，步入老年的张爱玲曾提及此事，只是还未开口就已潸然泪下。

1956年8月14日，赖雅与张爱玲在纽约举行了婚礼，马莉·勒德尔和炎樱为双方证婚人，炎樱也是唯一一个张爱玲两次婚姻的见证人。

对于张爱玲和赖雅二人而言，能够走到一起，亦是缘分和时机的使然。当时，赖雅已经65岁，张爱玲却仅36岁，与赖雅女儿的年纪相当，年龄差距迥然。同时，二人在政治立场上也存在着较大的差异。赖雅是著名的左翼作家，对苏联和马克思主义都怀着崇高的信仰，但是张爱玲经历过国内旧时代与新时代的转换，时局动荡下颠沛流离之苦与被口诛笔伐之痛均深深烙在她的心里，她对苏联及马克思主义自是敬而远之。而且，两个人的性格也反差很大：赖雅开朗外向，张爱玲则内向孤僻。

从文学风格方面而言，张爱玲的作品一向以独到的视角去观察、去描述，文笔细腻而又不乏辛辣。同时，张爱玲的文思敏捷灵动，以她特有的空灵剔透的语句，把人性最深处的软弱与美好细细品评勾画，恣意张扬却也苍凉凄美；而赖雅的作品则洋溢着为大众追求理想社会的浪漫色彩，归于理想化和号召力。

从心理层面和家庭成长背景看，张爱玲幼年与父亲关系不睦，父母疏离，亲情淡漠，她在内心深处对父爱的渴望和家庭温暖的渴求自然是强烈的。这或许也是当年她为什么嫁给大她十多岁的胡兰成的原因之一。

然而，纵然在张爱玲和赖雅之间横亘着如此多的差异，却丝毫没有影响二人跨越差异和分歧最终走到一起。每段年轻的岁月里都曾有过错过的缘分，没有缺憾的爱情经历是不存在的。只有爱过、痛过、悟过，才能在跌宕起伏的人生历程中，看清自己的内心，读懂自己的感情。

也许真的如此，无论多么炙热的爱情，最后都要回归到相守。人到中年，走过繁华与落寞，理性已经成为基本的技能，开始渐渐明白自己要什么，知道自己如何去追求心中所想。

婚后，二人一起在纽约进行了短暂的旅行。这一次旅行给张爱玲带来了久违的快乐和放松，让她重新找到了少有的“家”的感觉。尽管这个家只是暂时租来的，但是，对于从小缺少家庭温暖，又在外漂泊多年的张爱玲来说，这温暖犹如漆黑大海里的一盏明灯，照亮了她孤寂的生活，温暖了她苦涩的人生。

张爱玲人生中短暂的甜蜜时光就此开启。

悲喜交加

1956年10月，张爱玲和赖雅再一次故地重游，返回麦克道威尔文艺营，这个见证了二人爱情萌生的地方。虽然那时已经进入深秋时节，但是二人仍然非常兴奋。然而，幸福的时光总是短暂的，新婚的热度还未退去，赖雅再一次中风了。此次意外病倒使他变得非常虚弱，不仅正常的写作难以为继，就连保持了几十年的记日记的习惯也不得不就此中断，即便勉强写来也是篇幅极短。

在赖雅突然病倒的时间里，张爱玲的身心也受到了沉重的打击。期待的新生活刚刚开始，家的感觉刚刚萌生，就这样横生枝节，被生活的意外生生打断。一直以来，张爱玲都把赖雅视为自己在美国值得依赖的人。赖雅中风，使张爱玲万分沮丧，万分孤独无助。

张爱玲对赖雅悉心照料，她常常不眠不休地守候在赖雅的病榻前照顾他的饮食起居，心中默默地祈祷着赖雅早日康复。每当深夜，赖雅从昏睡中醒来，总会看到张爱玲靠在床边的身影。

在张爱玲的细致照料下，终于在若干个星期后，赖雅的身体慢慢有了起色。那时候，每个晴朗的午后，张爱玲都会搀扶着赖雅外出散步，加强锻炼。但因为疾病带来的后遗症，赖雅行动不便，走得非常慢。即便如此，张爱玲仍然觉得幸福。能和自己爱的人相守，心就是安稳的，快乐的。

夕阳余晖，落日西沉，瑟瑟秋风带走余留在枝上的落叶。此情景让张爱玲不禁心生感慨，悠悠地叹道："我真害怕，有一天你会离我而去。你不知道，你病倒在床上那些天，我的心里有多么恐惧。"

"爱玲，相信我，我会坚持住的，为了我们的将来，我决不会离开你的。"赖雅坚定地说着，不禁心中一阵悲凉。

1956 年 10 月末，赖雅的病康复了。但是，由于多次中风，加上年龄偏大，到了 12 月 19 日，赖雅的病又一次复发，他因脸部麻痹被送回医院，几乎无法说话。张爱玲的心又一次跌入深渊。

那时正值圣诞节，是西方最为盛大的传统节日，相当于中国的春节。那天早晨下了大雪，张爱玲一大早便出门采购过节用的物品。赖雅虽在病中，也挣扎着起来帮张爱玲张罗事情。不一会儿，丰盛的圣诞晚餐就做好了，有张爱玲最拿手的几道中国菜。温暖的灯光下，二人互相宽慰，张爱玲许下了自己新年最大的愿望：期望来年赖雅身体康健。

功夫不负有心人，在张爱玲的陪伴下，赖雅的身体逐渐康复，到 1957 年 1 月底，赖雅已经能够出远门到波士顿去探望他的兄弟了，还可以到波士顿最大的费伦百货公司去逛街购物了。

1957 年 1 月中下旬，赖雅和张爱玲一起乘长途巴士返回麦克道威尔文艺营。张爱玲集中精力把她的中文小说《赤地之恋》翻译成英文。3 月中旬，张爱玲终于完成《赤地之恋》的英文版，并把完成的文稿寄往纽约。

赖雅虽有庞大的写作计划，包括一部传记、两部戏剧和两部小说，但因为身体原因，除传记外，都无法完成。而此时张爱玲的几部小说，除《秧歌》外，其他的文稿投寄出去都犹如石沉大海。

张爱玲和赖雅曾找到戴尔出版公司面谈过小说出版的事宜。但戴尔公司方面认为，出版张爱玲的作品对公司而言，是具有相当大的风险的，不能在短时间内做出决定，需要等待一段时间再说。正当困顿之时，哥伦比亚广播公司来了消息，他们打算将张爱玲的《秧歌》改写成剧本，并可支付给张爱玲薪酬 1440 美元。这对于张爱玲和赖雅来说，无疑是个好消息。

但是，居无定所指望救助的日子总是令人不安的。张爱玲和赖雅此次在麦克道威尔文艺营的留宿期限就要结束了。在期限到来之前，他们二人曾想方设法申请延期或到别的文艺营去，但很不幸，都遭到了拒绝。无奈之下，张爱玲和赖雅不得不考虑寻找出租房做容身之地。后来，赖雅在彼得堡松树街 25 号找到一处带家具出租的公寓。这是一幢三层楼公寓，他们二人住在第三层。这幢公寓坐落在一条狭窄的坡形的街上，交通十分便利，只需向左转两个弯，不到十分钟便可到达镇上购买东西。但是，61 美元的月租金对于没有固定收入的张爱玲和赖雅来说，仍是一笔巨大的开支。

即便如此，经济压力下的生活却也时时透露着琐碎的幸福。张爱玲和赖雅齐心协力致力于自己的小家庭，即使简陋，却也不失温馨。在出租房里，除了已有的家具之外，他们二人还需要添置许多生活物品，诸如床单、窗帘，及其他家庭必备用品。为了减少开支，赖雅经常到附近的贸易市场上去寻觅一些便宜实用的必需品。他常常兴奋地带回一些面包烘炉、三夹板桌子、木制小床等。张爱玲有时还和赖雅一起去“淘宝”。

有一次，她仅用 3 元 7 毛 5 分就买到了四件漂亮的绒衫和一件浴袍，他们二人开心不已。由于出租的是陈年旧房，公寓里常常能发现蚂蚁，这让张爱玲颇为懊恼。她时常拿着杀蚁剂喷洒，赖雅还专门开玩笑给她取了一个绰号叫“杀蚁刺客”。为了节省开支，张爱玲不雇佣工人，自己亲自动手，把两个人房间的墙壁都漆成了海蓝色。张爱玲说蓝色是属于天空和海洋的颜色，她喜欢这种颜色。

每当赖雅从外面购物回来，看到张爱玲一手拎着大漆桶，一手拿着刷子，汗流浃背的样子，不免感到心痛。可是张爱玲却不在乎，她觉得很开心。赖雅与张爱玲的生活习惯有所不同，张爱玲喜欢在深夜创作，而赖雅则习惯于早睡早起。为了让张爱玲专心写作，大部分的家务劳动都由赖雅承担，同时一些外出的事务比如购物、去银行、去邮局等也都是由赖雅来干。二人时常合作，一起做一些简单的饭菜。餐桌上常见的菜都是赖雅平日爱吃的汉堡牛排、鸡肉馅饼、炖牛肉、小羊肉，以及一些蔬菜等。赖雅会顾及张爱玲的口味，做些她爱吃的鱼。吃饭前，他们还会喝一点香槟或红葡萄酒助兴。即使是简陋的出租房，只要充满爱意，也会在风雨同舟的日常生活中，散发出绚丽的光芒。

虽然面临诸多困难，但是此时的生活终究是宁静而温馨的。张爱玲和赖雅都喜欢阅读，闲暇的时候他们二人均好书共赏，佳作相与析，倒也其乐融融。由于他们二人都曾写过剧本，因此看电影是张爱玲和赖雅生活中一项重要的共同爱好。镇上有家小小的电影院，他们是那里的常客。在那儿，张爱玲和赖雅观看了许多的电影，有的是经典重温，有的是新生力作，这成了他们生活中不可缺少的乐趣。

那时候，张爱玲的《秧歌》也在哥伦比亚广播公司的节目中播出。可惜，电视剧与剧本原作相差甚远，令张爱玲失望不已。有一天，张爱玲得到通知，司克利卡纳公司淘汰了她的第二部小说《粉泪》。这件事对张爱玲的打击是相当大的。《粉泪》的原型是《金锁记》，乃是张爱玲当年在上海的成名作之一，她对这部小说充满信心并寄予了厚望。这一次的打击，无疑对她的自信造成严重影响。因为此事，张爱玲病倒了。

这期间，幸而得到赖雅的悉心宽慰，她又重新振作精神，开始动手新作品——《上海游闲人》。为了维持生计，她还不断地给老友宋琪所在的香港电懋影业公司写剧本，先后写出的有《情场如战场》《人财两得》《六月新娘》《桃花运》《小儿女》《南北和》等。其中一些剧本属搞笑之作，也非出自张爱玲的真实内心体验。由于宋琪的热心推荐，她的稿酬高达每篇 800 至 1000 美元，成为她很长一段时间内的主要经济收入。

1957 年 8 月中旬，一封加急电报从伦敦寄至张爱玲手中。信中说她的母亲病情严重，必须马上做手术。张爱玲手握信件，母亲，这个在她生活中缺席已久的角色，又依稀浮现在她的脑海中。在张爱玲的心里，自己的母亲是何其美丽，何其高贵，永远充满活力的母亲如何与病痛扯上关系?

出身封建官宦世家的母亲黄素琼，一度长年旅居国外，曾经在 1936 年在马来西亚买了一铁箱绿色的蛇皮，预备做皮包皮鞋生意。后来，珍珠港事件后逃难至印度，因着出色的文笔，曾经做过尼赫鲁两个姐姐的秘书。1948 年在马来亚侨校曾经执教达半年时间。张爱玲的母亲最后定居在伦敦，在 1951 年，她在英国下工厂做女工制皮包。在异国他乡的生活也是颇为周折，她的主要收入来源还是靠变卖从中国带出来的几箱古董。

张爱玲相信坚强的母亲能够挺过这一关。因此，她写了一封信并附上 100 美元的支票寄往英国。可惜，手术后不久，母亲便逝世了，留给了张爱玲一个装满古董的箱子。睹物思人，张爱玲抚摸着这些古董，心中不免哀痛。但同时，这箱古董对于经济上捉襟见肘的张爱玲和赖雅来说，却如同雪中送炭，解决了他们的燃眉之急。

这些古董后来被逐个变卖以补贴生活所用。只是，每当在变卖之时，张爱玲的内心都是苦涩的。母亲的遗物，带着亲人的牵念，就这样变卖成钱补贴困顿的生活，何其不舍，何其无奈，又是何其自责。她的内心究竟有多么感伤，后人也无从得知了。

第六章 磨难与人生

人生注定要上演繁华与落寞，相聚与别离，那一幕幕或喜或悲的剧情从不因为谁而中断或者改变。当命运再次从张爱玲的手中夺走幸福时，她累了，她似乎已经没有力气与命运搏斗了，哪怕只是争辩。不过，这并不代表她认输了，她只是累了，只是想换一种方式继续她的人生，换一种方式与命运并肩前行。

迁　居

在二人相依相伴的生活中，尤其是赖雅屡次病倒之时，本性传统的张爱玲对他不离不弃、毫无怨言。这让赖雅深深体会到了东方女性的温柔贤惠。张爱玲日日陪伴赖雅出行锻炼，给他进行日常放松按摩，她还常常给赖雅做一些他喜欢吃的中国菜。

张爱玲对于赖雅的理解和支持是心存感激之情的，而赖雅对张爱玲的悉心照料和出众文采也是颇为感动和怜惜的。赖雅曾经执意要立下遗嘱，把他的全部财产都留给张爱玲，他称这虽然都是一些无用之物，却是他对张爱玲的一片心意。可事实上，在这些“无用之物”中，收集着他与华莱士·史蒂文斯和贝托尔脱·布莱希特的大量通信。他是有关这两位文学大师信件最大的收藏者，这些信件具有珍贵的史料价值。

张爱玲仍然保留着过生日的传统，但生日习惯以中国农历为准，可是东方和西方的日历算法是有所不同的，以西方阳历计算的话，每年的生日就都不相同。赖雅总是颇为迷惑，算不好张爱玲究竟什么时候过生日。这一年，赖雅很早就算出张爱玲在1958年的生日应该是阳历的10月1日，他特意在日记中记下这个日子来提醒自己，想给张爱玲一个惊喜。

这一天清早，屋外绵绵秋雨淅淅沥沥地下着，屋内来了一个联邦调查局的人员，来就赖雅所欠债务的问题进行核查。临近晌午时分，那人终于起身告辞，赖雅这才长长松了一口气。午饭后，赖雅变戏法般拿出早就准备好的生日蛋糕和一束红玫瑰送给张爱玲。张爱玲愣了一下，随即便反应过来，不禁深为感动。张爱玲从小家道中落，父母离异，亲情淡漠，生日更是无人问津。这几年来生活动荡，颠沛流离，更是无暇过一个像样的生日。可是，没想到赖雅却算得那么准确，记得那么清楚，这犹如一阵暖流，温暖了张爱玲的内心。

到了下午，雨过天晴，天空纯净如洗，赖雅与爱玲一起到邮局去寄了几封他写给远方好友的信。他们踏着满是落叶的小径，静静感受着大自然的美好与清新。回到家后，晚餐是赖雅亲手做的肉饼、青豆和饭。张爱玲挽着赖雅的手盛装出门，一起到电影院去看傍晚一场叫《刻不容缓》的电影。他们看得很开心也很投入。回到家里，他们感到肚子有点饿，就把饭菜吃了个精光。暖意融融的灯光里，张爱玲告诉赖雅，这是她38年来最快乐也是最难忘的一个生日。

1957年7月期间，张爱玲和赖雅到波士顿进行了一次旅行。从偏远小镇来到大都市，张爱玲顷刻间爱上了都市的繁华和喧嚣。从那时起，她希望有一天能够到大都市去生活的想法便萌生了。

1958年春天，张爱玲再一次和赖雅提起迁居的想法。乡下小镇的生活虽然宁静，但是并不符合张爱玲内心对轰轰烈烈的炫丽生活的期待，同时，毕竟经济不宽裕，大都市的机会总是多的，况且，偏僻的地理环境影响了她的文学灵感及内心感受，从而影响了她的作品质量和发表。

赖雅已是高龄老人，早年放荡不羁的传奇经历已使他厌倦了都市的繁华与喧嚣，但是为了张爱玲的发展和二人的生活，他还是同意了迁居的想法。于是，张爱玲和赖雅一起向位于南加州亨亭顿·哈特福基金会文艺营提出了申请。至1958年7月，亨亭顿·哈特福寄来了录取通知书。获得批准后，赖雅做了一次身体检查，结果显示他的心脏功能良好，其他器官也正常。满怀着对大都市的向往，1958年11月，他们二人迁居到了那里。

在基金会提供的宽敞漂亮的花园般的大房子里，他们住了大概半年时间。房间视角很好，可以俯瞰整个浩瀚的太平洋。张爱玲和赖雅时常一起外出逛逛。他们到一些购物商厦里去，由于囊中羞涩，不能随意花钱，因此也遭到一些售货员的轻视。赖雅曾经视金钱如粪土，如今却颇有一些“悔不当初”之感。

好莱坞影视城就坐落在洛杉矶的比佛利山上。好莱坞是一个留下赖雅年轻时风流的地方。遥想昔日，赖雅这个才华横溢的青年剧作家，曾经是诸多名导演的座上宾，好莱坞也曾留下他千金散尽、仗义疏财的好名声。可是，如今故地重游，许多赖雅曾一手提携过的人，都对他冷漠相待，这让赖雅更加深切地感受到了世态炎凉。

亨亭顿·哈特福文艺营的气氛比麦克道威尔文艺营要更加轻松活跃一些。赖雅还是和以前一样热情好客，开朗外向。每日茶余饭后，他喜欢在大厅中和营友们聊聊天，玩玩小赌注的扑克牌游戏，度过一段轻松惬意的时光。张爱玲不喜欢交际，像往常一样，她独自躲在房间里写文章或者看电视。

有一天晚上，赖雅走进张爱玲的房间，故意神秘地说：“爱玲，外面来了我们的一位老朋友，你出来见一下吧。”张爱玲不喜生人，坚决推辞，争执良久，赖雅才对她说：“你知道吗？那位朋友是头‘山羊’。”闻言，张爱玲快速跑到客厅里，看到那只小山羊，无比喜爱。她轻轻抚摸着小山羊的头，举止间孩童般的纯净与欣喜溢于言表。在亨亭顿·哈特福文艺营住了几个月，张爱玲和赖雅又计划迁到旧金山居住。

1959年，张爱玲和赖雅在旧金山住下。旧金山是一个美丽的临海城市，渔人码头热闹非凡，唐人街的夜晚更是灯火辉煌，人声鼎沸。曾经有人这样评价：“美国所有地方都千篇一律，只有旧金山例外。”

张爱玲的不善交际也颇影响她和赖雅家人的关系。赖雅与前妻的女儿菲丝的年纪和张爱玲相仿，在罕布什尔曾经见过面。张爱玲和赖雅搬至旧金山后，菲丝从佛罗里达州过来，住了十几天。期间张爱玲热情款待，带她外出逛街购物，品尝风味小吃，但也止于客气，并不亲昵。在张爱玲的内心，后母是个不讨喜的角色，曾经在她的作品中也有关于后母的人物刻画，形象皆倾向于负面。如今，把自己放在后母的位置，不免心生尴尬。

搬至旧金山后，经过一番对比考量，张爱玲和赖雅最终将住所选定在布什街645号，月租金为70美元的一所出租公寓。那时候，赖雅正在为他的小说《克利丝汀》和一部戏剧剧本工作，他在几条街区外的鲍斯脱街为自己找到了一间小小的办公室。同时，他还参与协助马克·休勒创作关于辛克莱·刘易士的传记。而张爱玲则在把《荻中笨伯》改写成中英文两个版本的电影剧本。同时，在宋琪夫妇的热情推荐下，她还在美国新闻处谋得了一些翻译工作。二人紧张却有序的生活节奏就此打开。赖雅通常在早晨8点起来，早餐后，步行到工作室去伏案写作。张爱玲通常晚上要工作到深夜二三点，因此总是中午赖雅回来后她才醒来，然后，二人一起共进午餐。下午分头去工作或外出购物。晚上，赖雅喜欢以阅读或看电视来打发时光，张爱玲则已经进入工作状态。

随着居住时间的变长，二人都有了自己的交际圈。赖雅常与一位名叫约·培根的画家在一起，他们时常一起在街头巷尾散步。培根每星期开汽车来，把赖雅带去购买一周所需的日常用品。

张爱玲一生喜欢独处，而不喜群居，知交只有少数几个，爱丽斯·琵瑟尔便是其中之一。爱丽斯·琵瑟尔是张爱玲在旧金山认识的好友，她是一位极为和蔼友善的绘画艺术家。从少女时代开始，张爱玲就非常喜欢美术，对各种颜色都有一种特别的敏感。张爱玲和爱丽斯·琵瑟尔常常在一起饶有兴趣地欣赏其画作。

她们经常一起到唐人街和华盛顿广场公园里小坐。公园面积不大，两街区长，一街区宽，几棵郁郁葱葱的大树在草坪上生长着。公园旁边有一座大教堂，巨大的建筑物以及其庄严肃穆的气息带着强烈的存在感与这个小公园相互辉映。伴随着清风以及淡淡花香，她们在草坪上席地而坐。张爱玲喜欢向爱丽斯·琵瑟尔讲述着自己的童年往事。后来，张爱玲曾把自己写的英文小说签了名送给她，还用中文写了菜谱送给她。虽然爱丽斯不懂中文，但她一直都好好保存着。

时至 1959 年 12 月中旬，炎樱给张爱玲来信，对《北地胭脂》（原名《粉泪》）未能被出版商接受出版深表同情。1960 年初，炎樱在来信中宣布已结婚，去日本途中经过旧金山，将会来拜访。然而，到了约定的日子，炎樱并未如期而来，张爱玲颇为失望。1961 年的 3 月下旬，张爱玲再一次接到了炎樱的来信，信中说她将在从日本返回的路上来拜访张爱玲和赖雅。在焦急的等待中，炎樱来了，张爱玲戏称她是“从天而降”。炎樱的开朗外向一如往昔，一直保持着她那特有的、俏皮可爱的说话方式。在《炎樱语录》中，张爱玲曾这样描述她：“月亮叫喊着，叫出生命的喜悦，一颗小星是它的羞涩的回声。”张爱玲望着眼前的炎樱，恍如隔世。

1960 年 7 月，张爱玲历经冗长烦琐的入籍手续，在赖雅和培根两人的见证下，获得了美国公民身份。时至五年，张爱玲成了真正法律意义上的美国人。

宝岛之行

早在1959年12月间，张爱玲曾到英国海外航空公司打听过去香港的费用。经过很长一段时间的思考，也迫于生活压力，张爱玲为了拓展自己作品的市场，向赖雅提出她东方之行的计划。张爱玲来美国已经数年，作品的销路却一直不好。她的英文小说除《北地胭脂》外，其他作品在美国和英国都未找到出版商。在张爱玲看来，东方之行或许可以缓解目前的困局。

但是，大病初愈的赖雅却反对张爱玲的出行计划。张爱玲花了一整天的时间给赖雅做思想工作，和他分析目前的生活状况、作品的发展困境，说得真诚坦率，有理有据。最终，赖雅同意了张爱玲的出行计划。正像日后一位张爱玲文学研究者司马新分析的那般："张爱玲在美国已经住了六年，做了五年赖雅太太。在这段生活开始的阶段，她在这片新大陆中既孤独又无措，就靠赖雅对她指导。年复一年，她已逐渐判明了自己的方向，依赖性也随之减少。相反，赖雅对当初结婚并不热心，可是如今在感情上和经济上都离不开她……反而依赖她的抚养和支持了。"

而此次出行，张爱玲最放心不下的就是赖雅。如今的赖雅根本不具备独立生活的能力，身边不能缺少照料的人。张爱玲曾提议让赖雅和他们在旧金山的好友约·培根和爱丽斯·琵瑟尔住在一起，这样方便得到照顾，但赖雅不愿意连累别人便拒绝了。于是，赖雅向亨亭顿·哈特福文艺营提出申请，想在那里暂住一段时间，不料遭到了拒绝。赖雅又给他的女儿菲丝写信，希望能让赖雅到她身边去。几天后，菲丝回信说，请赖雅去华盛顿小住几日，就住在菲丝家附近。女儿的回信给赖雅带来了些许的安慰。

随之而来的是一段忙碌的日子。张爱玲和赖雅各自准备着彼此的出行，一个准备东方之行，另一个准备华盛顿之行。然而他们彼此的心情却有着天壤之别。对于张爱玲而言，此去是满怀着信心和对未来的憧憬。香港是她熟悉的地方，此去的目的就是将她钟爱的《红楼梦》改编成一部上下集的电影。此去台湾，对计划中的《少帅》信心满满。但是，对于赖雅而言，不免是辉煌不在，英雄迟暮的感伤。

1961 年 10 月初，张爱玲离开旧金山飞往台北。张爱玲出发的那一天，赖雅去机场送她。依依惜别之后，赖雅望着飞机逐渐消失在天际云间，心中不免怅然若失。他忽然有一种恐慌，恍惚觉得张爱玲可能不会再回来了。

张爱玲到台北的具体目的就是为了《少帅》进行资料搜集，她不仅需要明确许多西安事变的诸多细节，还希望见到相关的重要人物。

张爱玲到台北后，住在台北美国新闻处处长麦加锡的家里。那是一幢位于阳明山公园附近、深处巷内的大别墅。麦加锡早就知道有许多大学生仰慕张爱玲的才学，他特意安排了台湾大学的几位文学青年欢迎张爱玲，其中有白先勇、欧阳子、王父兴、王祯和、陈若曦等。据当事人王祯和先生在《在台湾的日子》中回忆说道：张爱玲与麦加锡夫妇尚未抵达餐厅前，席间一位太太猜测说："我们大家都没有见过张爱玲，大家来想想她是什么样子。我曾经问过麦加锡先生，他说张爱玲很胖很邋遢。究竟有多胖多邋遢?"一听之后，大家都觉得有点失望。就在这时，张爱玲出现了。大家眼睛一亮，张爱玲并不邋遢，反而干干净净、高高瘦瘦的。虽然不是顶漂亮，却是"可看性"很高。于是大家后来戏称麦加锡先生是"效率专家"，因为他的"手法"让他们觉得张爱玲更加美丽。

王祯和、丘彦明所著的《永远的张爱玲》中曾经回忆说张爱玲，"她很少说话，说话很轻。讲英语，语调是慢慢的”。

王祯和当时是台湾大学外文系二年级的学生。当时他的同学白先勇、王文兴、欧阳子、陈若曦等人创办了《现代文学》杂志。张爱玲后来去到台湾花莲时，就住在王祯和家里。王祯和带张爱玲逛了花莲的许多地方。张爱玲曾经读过王祯和的小说《鬼・北风・人》，对里面写到的花莲的风土人情印象颇为深刻。花莲本是台湾的一个小县，与台北等大都市的繁华气息相比，更具台湾本土的乡土文化气息。张爱玲在王祯和的引领下，走街串巷，沿途观察风土人情，还去参加了阿美族的丰年祭，观看了声势浩大的山地舞蹈。张爱玲兴趣盎然，并一一做了笔记。

张爱玲还与王祯和去了花莲的“红灯区”。当时因为是旅行，张爱玲的着装极为随意轻便，都是极具欧美风格的宽大衬衫。此番着装在美国极为普遍，但在60年代还很闭塞的花莲已是显得很时髦。在妓院里，妓女们纷纷向她投去好奇的目光。又听说她是从遥远的美国来的，妓女都对她非常感兴趣。她看妓女，妓女看她，互相观察，各有所得。随后，又去参观酒家，用餐的客人对张爱玲也很感兴趣，还邀她入座共饮。

1961年10月15日，在张爱玲将要离开的时期，她和王祯和及其母亲一起去拍照留念。当时相机还没有普及，照相师很认真地替他们拍了很久。那是张爱玲花莲之行与人唯一合拍的照片。如今，我们仍可以看到这张泛黄而模糊的老照片。照片上的张爱玲穿着花的低领衬衫，面色白皙，显得年轻而漂亮。后来作家水晶的女同事们看到这照片，说当时的张爱玲看起来像仅三十多岁。

按照原来的计划，张爱玲准备从花莲去台东和屏东，参观当地独有的“矮人节”，然后取道高雄回台北。不料，当张爱玲一行人刚到台东火车站时，站长就告诉她，说是台北的麦加锡先生要求转告她，说她先生赖雅病重，要她赶快返回台北。

听完转述后，张爱玲内心极度不安起来。多年以来，她一直在为赖雅的身体健康状况担忧，唯恐什么时候旧病复发，内心时时都存有危机感。没想到张爱玲刚刚离开几日，赖雅就病倒了。张爱玲取消了原有的计划，日夜兼程赶往台北。为了节省时间，张爱玲乘巴士从屏东到高雄，再换夜间火车转往台北。

一路上，张爱玲焦急万分，归心似箭。到达台北后，她了解到赖雅发病的具体情况。原来赖雅在张爱玲动身后一个星期，就起程去了华盛顿。在巴士经过宾夕法尼亚的比佛瀑布市时，他突然中风，在当地一家医院中昏迷过去。菲丝得知后赶到比佛瀑布市，然后把他接回到华盛顿她家附近的医院中。但是进一步的情况如何，她却不得而知。麦卡锡先生遗憾地告诉张爱玲，自从菲丝打来电话后，就再也没有赖雅的消息。张爱玲此时分身乏术，她身边的钱只够买到加州的机票，何况，她此行到香港写剧本的目的还没有达到，她是不能此刻返回美国的。

后来，在确定赖雅病情已稳定的情况下，于 1961 年 11 月，张爱玲抵达香港，打算将《红楼梦》写完并拿到稿酬再返回美国。这是张爱玲第三次到香港，也是最后一次。香港，依然是那个脑海中熟悉的所在，在这里盛着张爱玲少女时代的懵懂和中年时代的哀伤。景致依旧而情怀不再，曾经旧时光待过的地方如今满眼尽是物是人非的感伤。

张爱玲的这次香港之行是应宋琪夫妇之邀而来，为电懋电影公司改写《红楼梦》，将其编写为上下集的电影剧本，稿酬达到 1600 至 2000 美元。张爱玲希望能利用这个机会增加收入，从而可以缓解一下在美国的窘迫生活。为了能尽快完成任务，张爱玲在宋琪家附近租了一个小房间，开始了艰苦的写作。张爱玲通常从早上 10 点一直写到凌晨 1 点。由于疲劳过度和精神极度紧张，张爱玲的眼睛患了溃疡并且出血，必须定期就医打针用药。她生活消费上也极为简朴。她没有钱买一双高档一点的鞋子，只有等到年底大减价时再做打算。时至冬季，她不舍得添置冬装和日常物品，只为早日攒够返程的机票钱。

然而，电影节的情形已经不同往日。在20世纪40年代的上海，编剧是颇受尊敬的职业，张爱玲的作品《十八春》《太太万岁》等在拍摄电影过程中是相当顺利的，与导演的合作也很愉快。但如今，电影公司对编剧并不重视，一切皆由老板和导演定夺，他们可以随意删减、改动剧本。同时，对于张爱玲编写的《红楼梦》剧本有生杀大权的两个人根本没有读过原著，张爱玲不容许将心目中的神圣经典之作改得面目全非。也正因为如此，《红楼梦》剧本迟迟没有得到通过，张爱玲的内心万分失落。

此次东方之行让张爱玲觉得心力交瘁、颇受打击，期间又不断收到赖雅的来信，身体状况令人担忧。张爱玲终于下定决心返回美国。1962年3月16日，张爱玲搭上了飞往美国的航班。

在此后的三十多年里，张爱玲再也没有踏上这片土地。

永失我爱

早在张爱玲暂居香港之时，赖雅不断写信给她，诉说自己的病情已经有所好转，让她安心在外，不必再牵挂。同时告诉她，他已在女儿菲丝家附近找了一间公寓，周边环境很好，希望她能够早日归家。张爱玲内心纠结不已，多年来在英语世界的创作屡遭挫败，幸而对中文世界存有一丝希冀。可是，这次被她寄予厚望的东方之行也打破了张爱玲的希望，世易时移，昔日光景不再，迷茫充满了她的内心。

终于下决心返回美国，尽管内心亦有不甘和不舍。按照行程安排，张爱玲应该在 1962 年 3 月 18 日到达美国华盛顿，可是赖雅 17 日就一个人跑到了候机大厅，从清晨薄暮一直等到夕阳唱晚，迫切期盼的心情溢于言表。第二天，菲丝也来到机场接张爱玲。当见到下飞机的张爱玲时，赖雅使劲地朝她挥手，默默相望间竟然激动得无语了。

回到家，赖雅已经准备了咖啡和麦片粥，张爱玲又动手做了几个小菜，温馨之气溢满了整个小屋。张爱玲斜倚在沙发上，静静看着赖雅在厨房忙得不亦乐乎，兴致勃勃地做着汉堡包和色拉。饭菜齐备端上桌的一刹那，张爱玲感到家的温暖，这种温暖再一次化解了她内心的哀伤和失落。张爱玲为了给赖雅一份好心情，故意隐瞒了自己所经受的艰难和打击，只是兴致勃勃地向赖雅讲述着东方之行的种种际遇和有趣新奇的各色风土人情。

那段期间，张爱玲和赖雅租住在菲丝家附近的皇家庭院公寓。赖雅在国会图书馆申请了一个桌位，每天从早开始在那里办公。张爱玲则申请到离赖雅很近的桌位，在此处查找一些关于写作《少帅》所需要的书籍资料。但是，大多数情况下，张爱玲更喜欢在自己家中进行创作。

华盛顿寒冷的冬天逐步临近了。赖雅对张爱玲的依赖与日俱增。1962年12月份的一天，大雪漫天盖地，赖雅在步行去图书馆的途中，因为不敌严寒，膝盖扭伤并严重受寒。回到家之后，他冷得在床上直打哆嗦，他不能像往常一样外出去杂货店购物了。张爱玲穿戴整齐代替赖雅外出购物。

"路上小心，地很滑！"赖雅再三叮嘱她。

夜幕降临，夜色愈浓，张爱玲迟迟未归，赖雅独自一人坐在床上，望着窗外幽暗寒冷的天空。终于，在赖雅的焦急等待中，张爱玲踏进家门，身上披着一层薄薄的雪花，浑身带着户外的凉意，她的手里提着一包日用物品，同时还抱着一个大纸袋。

"瞧！这是什么？送给你的！"张爱玲的眼神透着欢快和顽皮的狡黠。

原来是一条粉红色的羊毛毯子，质地细腻柔软，淡淡的粉色在灯光下闪着醉人的光晕，赖雅轻轻地抚摸着这条毯子，感到由内而外无比的温暖。

然而这样惬意温馨的生活并未长久，风波又起。1964年6月20日，一架飞机在台湾中部坠毁，在遇难者中有香港电懋电影公司的老板。他本人对电影制作很热心，一直对香港电懋电影公司及张爱玲本人颇为支持。如今，电影公司失去了这一首脑，就被迫面临着瓦解的困境，同时，对张爱玲颇为照顾的好友宋淇也从公司辞职了。张爱玲为香港电懋电影公司写的最后一个电影剧本是根据艾米莉·勃朗特所写的《魂归离恨天》而改成的中文版。此次意外一出，该剧本也就没有了拍摄成电影的可能性。这件事直接影响到了张爱玲和赖雅的经济收入来源。这些年来，在作为制作人的宋淇的引荐下，为香港电懋电影公司写剧本一直是张爱玲的一个主要经济来源。香港电懋电影公司的解散意味着从此以后，张爱玲重要的收入来源中断了。

在此困境下，张爱玲只好想尽一切办法节约开支。先是从皇家庭院的简朴公寓搬到黑人区的肯德基院，因为那里是属于政府廉价公寓所在地，每月的租金开销可以减少。另一方面，张爱玲想尽办法多增加收入，做到开源。那时，麦卡锡已从台北调回美国并就职于美国之音。在他的帮助下，张爱玲得到一些写广播剧本的机会。她写出的第一个广播剧本是陈纪莹的《荻村传》。在此后，张爱玲还改写了几部西方小说，其中包括莫泊桑以及苏联作家索尔仁尼琴的小说。这些改编工作，并不是属于张爱玲的创作作品，勉强算是对别人作品的再造。对于张爱玲而言，这只不过是一种养家糊口的无奈之举而已。而对于一个优秀的作家，改编终究不是长久之计，那部她曾经寄予厚望的并倾尽心力的作品《少帅》也最终不了了之。

经济状况窘迫的同时，赖雅的身体状况也每况愈下，一天天变得孱弱。早在1962年，他就出血并中风，但两个月后便康复了。此后不久，他又为做疝气手术而住院。这一天，赖雅在从国会图书馆出来，在回家的路上摔了一跤，跌断了股骨，使他的身体状况更加糟糕，活动能力大大减弱，随之而来，他又多次中风，最后导致瘫痪。

身体的不堪导致精神的不振，赖雅变得越来越沉默寡言，深居简出。张爱玲除了每天辛勤写作以换取一些经济报酬外，还要承担起一个看护的责任。她自己就睡在起居室中的行军床上，悉心地照顾着病榻中的赖雅。看着张爱玲忙碌不堪，赖雅也觉得内疚不已。家庭中失去了往昔的快乐与温馨，一种阴郁与沉闷的气氛笼罩着两个人的生活。

1965年冬天，临近圣诞节的时候，菲丝的三个儿女来探视赖雅，还给他带来了鲜花和礼物。沉寂已久的小屋重新又有了久违的笑声。病榻上的赖雅已经不能动了，但他看着成长着的、充满活力的儿孙们，眼角露出了笑意。

生活终究是要继续的。为了改善生活状况，增加收入，张爱玲申请了迈阿密大学的驻校作家。张爱玲在这年的 9 月来到了大学所在地的俄亥俄州牛津市。1964 年 10 月份，在该校于出版的《迈阿密校友会》上，在说到关于张爱玲到来的消息时称，“她是最优秀的在世当代作家之一”。

在此之前，最让张爱玲放心不下的便是照料赖雅的问题。她本计划是让菲丝好好照顾父亲，但菲丝对张爱玲非常不满，在菲丝看来，是张爱玲在父亲最需要人陪伴的时候，抛弃了身患重病的父亲。

张爱玲向菲丝求助时，她一脸的冷漠，不肯在她暂时离开之时替她照顾赖雅。菲丝有些生气地说：“你不能这样把他留给我就走人！我已经做了一切我能做的。我有舞蹈课要教，我还有两个孩子！况且，他需要你！”

张爱玲急切地解释说：“我们需要钱！我们现在搬的公寓连暖气都没有，有我也付不起。我不知道这个冬天要怎么度过。我现在申请到迈阿密大学的驻校作家，这是我唯一的可以赚钱养家的机会。”

菲丝明白张爱玲说的颇有道理，但潜意识里认为作为后母，张爱玲是为了要摆脱责任，所以也不肯轻易松口：“我有我自己的工作和家庭。我只能做到这样。你在当初和他结婚的时候应该晓得他的健康情况，但他比我预期的要坏得更快！”

张爱玲内心明白，菲丝对于她嫁给赖雅的目的始终心存疑虑，认为她的动机只是为了美国公民的身份，这让张爱玲无比愤慨。倔强的张爱玲没有再说一句话，她不再向任何人求援。等到菲丝再来公寓时，张爱玲已经带着赖雅搬走了。公寓里只剩下几个纸箱，还有张爱玲留下的一张字条：“我带不走所有的东西，这几箱垃圾麻烦你帮忙处理——最后一件事！”菲丝发现纸箱里面全是父亲的手稿和日记。她把箱子拿起来，保存了很多年，包括记载着张爱玲的部分。

直到后来很多年，菲丝和张爱玲之间的隔阂，彼此都无法做到释怀。

可是，个中滋味如何与他人说？在如此拮据的生活下，张爱玲的写作一直被生活所困，为生活所干扰，没有创作何来收入？何来陪伴照料？无奈之下，张爱玲只好雇用了两个相邻的黑女人来照看。由于那时赖雅已经瘫痪，且大小便失禁，黑女人们不够耐心，也无法保持房间干净，赖雅得不到尽心照顾。于是，在张爱玲抵达俄亥俄州牛津市之后不久，就把赖雅接了过去。由于又要写作，又要照顾赖雅，因此学校里的活动她很少参加。

那段时间，不仅是赖雅身患重病，张爱玲自己的身体也是有诸多病恙。长期的伏案写作，视力受损严重，长期的熬夜再加上生活不规律，身体关节都出现病痛。由于生活拮据，赖雅身体多病，自己身体也多有不适，就这样坚持了八个月后，张爱玲发现自己的创作仍然没有进展。她又恳请夏志清先生帮忙写推荐信到哈佛大学雷德克里芙女子学院去做驻校作家。在那里，她接受了洛克菲勒基金会的资助，翻译晚清小说《海上花》。这是一部张爱玲很喜欢的小说，在她看来，这部小说堪称世界级经典之作。张爱玲经常称赞这部小说“平淡而进自然”，并自称自己的小说《秧歌》就是秉承了这部小说的风格。

那段时间里，赖雅已经病入膏肓了。这个曾经热情开朗、仗义疏财的男人，现在生活窘迫、疾病缠身。他整日里恹恹地躺在那里，失去了往日的风采和活力。曾经热情张扬的眼睛时刻闪烁着炯炯目光，如今在却再也寻不到丝毫生气，仿佛一片沉寂的湖水，毫无波澜中透着绝望。赖雅每天看着张爱玲匆匆忙忙地跑进跑出，照料自己还要外出谋职补贴家用，他的内心不仅有深深的内疚之情，更多的是挫败感和失落感。张爱玲和赖雅二人心里都明白，赖雅是不可能康复了。后来某日，赖雅的表亲哈勃许塔脱曾来探望他。但是，一生好强的赖雅见到他时，把头转向墙壁，并要求他离开。赖雅一向是一个乐观好客的人，但他不想让他人的眼中见到如此不堪的自己。赖雅希望带给朋友的是快乐与温暖，然而，生死轮回，无力回天。1967 年 10 月 8 日，伴随着秋风中飘然而去的落叶，赖雅终于还是永远地离开了张爱玲，离开了这个他曾经是那么眷恋过的人世间。赖雅的遗体火化后没有举行葬礼，他的骨灰转交给女儿菲丝后由她安葬。张爱玲失去了在美国唯一亲近的人，在此后漫长的30年人生岁月中，她始终一个人孤独生活，直至死去都是以赖雅为自己的姓，以赖雅夫人的身份自居。这一份在异国他乡给予她温暖和庇护的情义，在张爱玲心中始终珍存。正如许多年前，在张爱玲小说中曾经说过："《诗经》上最悲哀的一首诗是：死生契阔，与子相说，执子之手，与子偕老。悲哀，肯定，钟情，像银白的月光，清爽可又有几多凄切。"

幽居岁月

1967 年 10 月，赖雅病逝，张爱玲又一次体验到了孤独的滋味。回想当初，张爱玲远赴美国之后，由于民族文化的差异和欣赏角度的差别，她的创作范围已经大为缩减，幸而得有赖雅的指导和鼓励，终究一直有所收获。即使是后来赖雅重病在床，张爱玲内心也有所依托。可是自从赖雅去世后，对张爱玲的打击甚大，精神上的寄托也没有了，她的创作灵感也枯竭了。46 岁的张爱玲仿佛一夜之间老去，茫茫然进入孤寂自我的状态。她不再进行新的创作，只是把以前的作品进行修改。

张爱玲把小说《十八春》的书名改为《半生缘》。这个书名是张爱玲斟酌很久之后才定下来的。最初，张爱玲计划把《十八春》改名为《浮世绘》，觉得与主题不符；想叫《悲欢离合》，又觉得不够含蓄；《相见欢》三个字中，又偏重"欢"字；《急管哀弦》又担心曲艺味道过重，冲淡了旧作本来的韵味。最后才定为《半生缘》这样一个稍觉满意的书名。

1967 年，她获得了哈佛大学雷德克利夫女子学院的奖金，离开波士顿到附近的马萨诸塞的坎布里奇（即剑桥）做过一段时间的驻校作家，专心翻译《海上花》一书。

《海上花》是清末时期韩子云所著的一部长篇小说，描写了上海的妓院生活。鲁迅曾评论此书是"狭邪小说中之上品"，而胡适、刘半农却给予极高的评价，称其为"吴语文学的第一部杰作"。张爱玲自称："十三四岁第一次看《海上花》，许多年来无原书可温习，但也还记得很清楚。"当初在给胡适的信中张爱玲也曾明确指出："我一直有一个志愿，希望将来能把《海上花》和《醒世姻缘》译成英文。"然而，《海上花》全书的对白都用苏州话写成，对于不懂方言的读者来说，难度非常大，即使是译成中文，也得精通文字与当地风俗，才能翻译得不失原本意韵。

所以，仅仅是为了翻译书名，张爱玲就颇费了一番心思。原来暂定为 Flowers of the sea，可当时刊载译文的杂志《通俗小说专号》，排版计划中紧接下一篇是《孽海花》，在字样上"海"和"花"，颇为重复。有一天，宋琪突发奇想，何不用 The Belles of Shanghai？例如《乱世佳人》里的郝思嘉即南国佳人。他征求同仁的意见，大家觉得很好，响亮而切题。随即征询张爱玲的意见，不料她却坚决反对。张爱玲认为单词"belle"只指背景纯净的美丽女子，而《海上花》中的人物包括上、中、下三类妓女，如果统称为上海佳人，未免失真。后来宋琪又建议用 The Shanghai Sing - Song Girls。张爱玲对此说，因为上海长三堂子称小姐为"先生"，外国人因音近似而用，同时出堂差时每人必歌一曲，故有此称。可是她建议书名改为 Sing - Song Girls of Shanghai，读起来顺口，而且暗含着 Streetwalkers of London（伦敦的马路天使）之类的说法。

关于人名的翻译，张爱玲也是用尽心力。早年，张爱玲曾经试写一部长篇小说，其中人名都用韦翟氏拼法，姓是一个音，名是两个音，中间加连字号。随后许多出版社都表示没有兴趣，因为外国读者受不了中国姓名的"三字经"。在读者看来，连名字都读不出，根本无法欣赏作品内容。这次翻译《海上花》，张爱玲把赵朴斋起名为 Simplycity，洪善卿起名为 Benevolence，至少使英语读者容易接受。

《海上花》由张爱玲先后翻译为普通话版和英文版，填补了这方面多年来的一个空缺。《海上花》是第一个专写妓院的小说，它写的是妓院中的"爱情"，一个貌似荒诞实则真实的故事。

张爱玲翻译完毕后，由于地域和文化的差异，在国外并不受欢迎，故又计划在香港出版。遗憾的是这部译稿在搬家时被弄丢了。于是，她又把此书译成普通话，把吴语方言的对白全改译为白话文，目的是为了让所有不懂吴语的中国人都能欣赏这部“海上奇书”。同时，张爱玲在结构上对小说也做了大胆的处理，原书六十四回，她把其中的四回合并为两回，删去另两回的回目，变成了六十回。

经过张爱玲的白话翻译，这部小说比原著更加简洁流畅，大大拓展了读者范围。而且，在书中张爱玲还增加了一些特色鲜明的注释，包括旧上海狎妓的风俗、行话、人物的衣着等。

赖雅离开了，原创作品又在西方文学界屡遭冷遇，为了应付生活，张爱玲开始了改写作品、翻译小说的生涯。对于一个才华出众的作家来说，放下原创之笔，转而投向改编工作，其中的失落与无奈如海水般在内心蔓延。张爱玲万念俱灰，开始了闭门不出、茕茕孑立的生活。正如她说过的“在没有人与人交接的场合，我充满了生命的愉悦”。或许，有些人注定是孤独的，正如有些美好注定是苍凉的。

梦回红楼

1969年7月，陈世骧教授当时在柏克莱加州大学担任中国研究中心的负责人，深知张爱玲的才华，对她发出邀请，请其担任该中心高级研究员。于是，张爱玲从波士顿搬至柏克莱，其后，在加州漫长的26年晚年岁月就在此地展开。

研究《红楼梦》是张爱玲在中国研究中心的工作。张爱玲与《红楼梦》的渊源亦是由来已久。张爱玲很小的时候就熟读《红楼梦》，并且非常喜欢这部中国古典名著。在她十二三岁时读石印本，看到“四美钓游鱼”，便觉“突然白色无光，百样无味起来”。

由于深受《红楼梦》的影响，张爱玲在十四岁时就模仿《红楼梦》的文风笔调，写出了《摩登红楼梦》。这是一部典型的鸳鸯蝴蝶派小说。虽然不失稚嫩，但却是张爱玲在读过《红楼梦》《秋海棠》《啼笑姻缘》等通俗小说之后的结晶。当时，张爱玲的父亲张廷重看了大为惊喜，还亲自为张爱玲的这部章回小说拟了回目，分别是：

沧桑变幻宝黛住层楼，鸡犬升天贾琏膺景命；

弭讼端覆雨翻云，赛时装嗔莺叱燕；

收放心浪子别闺闱，假虔诚请郎参教典；

萍梗天涯有情成眷属，凄凉泉路同命做鸳鸯；

青问浮沉良朋空洒泪，波光骀荡情侣共嬉春；

陷阱设康衢娇娃蹈险，骊歌惊别梦游子伤怀。”

年仅十四岁的张爱玲充分融合了中西文化，使这部小说具备了两个显著特点：第一是行文运词唱和如出自“红楼”一家，神韵极其相似；第二是内容情节荒唐而又逼真，将摩登上海滩的今事搬至红楼旧物之中，又丝丝入扣。在张爱玲看来，《红楼梦》的续四十回不及前半部分精彩。她在《红楼梦未完》中写道：“有人说过‘三大恨事’是‘一恨鲥鱼刺多，二恨海棠无香’，第三件记不得了，也许因为我下意识的觉得应当是‘三恨《红楼梦》未完。”

早在60年代末，爱玲就寄了些考据《红楼梦》的大纲给宋琪看。有些内容看上去很奇特，宋琪戏称为《红楼梦魇》，每隔一段时间他就会在信上问张爱玲：“你的《红楼梦魇》做得怎么样了?”

张爱玲在哈佛燕京图书馆和柏克莱加州大学，有机会看到脂批本《红楼梦》等多种版本。高鹗续书的原本，曹雪芹生前几个友人的诗集，以及近现代人胡适、周汝昌、吴世昌、俞平伯、冯其庸等人的红学著作，还有内地与港台的文学刊物。张爱玲不需要查原书，因为对《红楼梦》原著太过熟悉，不同的版本不用留神看，稍微眼生一点的字自会蹦出来。她曾经谦称自己研究红学的“唯一资格实在是熟读《红楼梦》”，其实，更重要的是她的悟性与思考。

张爱玲说《红楼梦》与《金瓶梅》“在我是一切的源泉，尤其是《红楼梦》。《红楼梦》遗稿有‘五六稿’被借阅者遗失，我一直恨不得坐时间机器飞了去，到那人家里去找出来，抢回来”。丢失的已经不可寻回，只有对现有资料加以分析研究，力求找出曹雪芹笔下的完整《红楼梦》。张爱玲看过诸多版本之后，得出体会，《红楼梦》在时间跨度上具有的明显特色，即改写时间之长“何止十年间增删五次”？在张爱玲看来，《红楼梦》改写历经二十年之久。为了省抄工，每次大改几处应该不会就从初始重抄一遍，一定是尽量利用手头现有的抄本。而不同时期的抄本早已传出，因而，各抄本的内容新旧不一。同时，有些改写的地方看似荒唐，令人难以置信，例如许多本子的改写常在回首或回未，张爱玲认为，这是因为一回本的线装书，一头一尾换一页较便。

张爱玲看出，“缝钉稿本该是麝月名下的工作——袭人麝月都实有其人，后来作者身边只剩下一个麝月——也可见其他体恤人”。由此可见，不能因某处某回年代早晚判断各本的早晚，这个观点，是张爱玲研究《红楼梦》的一个重要新视角。

张爱玲进入《红楼梦》的世界，正如其所写的：“偶遇拂逆，事无大小，只要‘详一会《红楼梦》就好了。”“像迷宫，像拼图游戏，又像推理侦探小说，早本各个不同的结局又有《罗生门》的情趣”，生活中所有的颠沛流离，都因为有了《红楼梦》的寄托而得以缓解。

通过对诸多文献的通读与思考，张爱玲结合自身心得，在《红楼梦插曲之一》中，描写高鹗的生平的一件事对“续书”的影响。高鹗在中举前曾纳一歌女畹君做妾生子，但因家中婆婆刁难，畹君后来就离开高家，重入风尘。高鹗当时仍有相思之情，想让畹君回来，但到了中举之后，尽管自己年纪也不轻了，但想到自己的无量前途，便与畹君断绝了来往。畹君在高家的身份，与《红楼梦》中袭人在宝玉房里的身份相仿。畹君被父母卖身，与袭人当年被父母卖进宁府也相仿。在高鹗续书中写袭人再度失节，也与畹君一样。高鹗把他与畹君这一段经历写到后四十回的袭人身上，他对袭人的责骂和讽刺想必也是多出自对畹君的不满之情。

《初详红楼梦》的副题是“论全抄本”，主要比较乾隆抄本《红楼梦》稿本与其他抄本的异同。《二详红楼梦》是对于甲戌本与庚辰本的年份的考证，由书中几个俗字的变迁、回前回末的形式等还原出它们的渊源。

《三详红楼梦》的副题为：“是创作而不是自传。”张爱玲针对不同本子的评语，结合曹雪芹的朋友明义等人的记载，得出这样的结论："宝玉大致是脂砚的画像，但个性中也有作者的成分在内。他们共同的家庭背景与一些纪实的细节都用了进去，也间或有作者亲身的经验，如袭人别嫁，但是绝大部分的故事内容都是虚构的。延迟元妃之死，获罪的主犯自贾珍改为贾赦、贾政，加抄家，都纯粹出于艺术上的要求。金钏儿从晴雯蜕化出来的经过，也就是创造的过程。黛玉的个性轮廓根据脂砚早年的恋人，视为他理想的女性较为两极化的一端。正面写宝玉和黛玉之间的情节定稿较晚，期间重要的宝黛文字却是虚构的。正如麝月实有其人，《麝月正传》却是虚构的。《红楼梦》是创作，不是自传性小说。"

《四详红楼梦》是考据《红楼梦》的改稿和遗稿，从曹氏以及他的朋友脂砚、畸笏的改稿与批注的异同入手，看《红楼梦》一书内容上的演变。

《五详红楼梦》是还原曹雪芹最早期原著的面目。张爱玲曾经得出的重要结论体现在，其一，在早期本中有写到贾宝玉与史湘云偕老，贾宝玉并未出家。其二，贾家出事是由于甄士隐家被抄家，贾家因隐匿财产获罪，但是并没有抄家之事。其三，贾家最初只有贾政一房，所以第一个早本没有贾赦与宁府，也没有贾雨村与甄家。这是曹雪芹初写时的版本初样。第一个早本是性格结局，将贾家的败落归咎于贾宝玉自身，但这样并不能博得读者的同情，而且有些地方，如史湘云以后"穷无所归"等情节有叙述上的漏洞。曹雪芹在最初十年内的五次增删，最重要的是改结局为获罪与出家。但一写获罪，又太有点像曹雪芹自身家庭的没落，所以为避文字狱，他改写出家。

张爱玲对《红楼梦》的研究历时十年。1977 年，24 万余字的《红楼梦魇》由台北皇冠出版社出版，其中包括《红楼梦未完》《红楼梦插曲之一》和初详至五详《红楼梦》，共七篇文章，并自序一篇。张爱玲采用了《红楼梦魇》这个书名，恰好表达了她研究《红楼梦》时的一种心态心境——一场梦幻。在书中，她分别论述后四十回的形成、高鹗与袭人的渊源、全抄本、甲戌本与庚辰本的年份，《红楼梦》是创作而不是自传、改写与遗稿、旧时真本等七个问题。张爱玲是从一个小说家的眼光去重新审视《红楼梦》的，所以观点新颖而耐人寻味。诚如著名红学家俞平伯先生早在 20 年代就曾经感叹过的："《红楼梦》在中国文坛上是一个梦魇，你越研究便越糊涂。"

陈世骧教授去世之后不久，张爱玲结束了在柏克莱加大的研究工作，但《红楼梦》的考据工作仍在进行。1973 年，她又移居到洛杉矶，更加与世隔绝，她基本上没有写任何其他东西，一心一意地研究红学。时至今日，对于红学的研究已经分门别类，注重作者家世生平的"曹学"派和注重文本自身研究的"红学"派已然区分鲜明，张爱玲的考据自然属于后者。

张爱玲身处异国他乡，耗费十年心力研究《红楼梦》，印证了张爱玲的人生轨迹，贵族家庭的败落，繁华落尽后的凄凉，是寄托也是感悟。庄信正先生的著作《永远的张爱玲》中，有一篇写张爱玲的文章，题目就是"旧事凄凉不可听"。在庄先生看来，整部《红楼梦》以及张爱玲的一生年华均是旧事凄凉不可听的。张爱玲曾经写道："散场是时间的悲剧，少年时代一过，就被逐出伊甸园。家中发生变故，已经发生在庸俗黯淡的成人的世界里。而那天经地义顺理成章的仕途竟不堪一击，这样靠不住。看穿了之后宝玉终于出家，履行以前对黛玉的看似靠不住的誓言。"

"回忆着东西如果有气味的话，那就是樟脑的香，甜而稳妥，像记得分明的快乐，甜而惆怅，像忘却了的忧愁。"在张爱玲的内心，《红楼梦》中的人物似曾相识，书中的命运起伏与自己何其相似，"这里面全是熟人，走进里面去也许比走进外面的世界容易得多了"。曹雪芹的笔下，红楼梦一场，聚散两茫茫，而张爱玲的人生时至此刻，又何尝不是旧事如烟，生死两茫茫呢？张爱玲在自序中为自己提了一联"十年一觉迷考据，赢得红楼梦魇名"。

学 者 生 涯

1967年，张爱玲的英文小说《北地胭脂》由英国的凯塞尔出版社出版。然而，销路并不好，反响中的负面评论也颇多，张爱玲对于英文的创作已经信心全无。后来，她将这本书译成中文，名为《怨女》，并对内容加以改动。

与《怨女》一书的遭遇相比，从《十八春》删改成《半生缘》是相对成功而轻松的。其中一个最为主要的改动便是让世钧与曼桢、叔惠与翠芝重逢，留给读者一个对世事人生产生无限感怀的背影。张爱玲对于《十八春》的改动主要有三处，一是将张慕谨改为豫瑾，其本人被诬蔑为汉奸遭到国民党的逮捕，其妻子遭受酷刑而死改为其妻子被日本人迫害致死，豫瑾本人被抓后，不知所踪。二是许书惠赴延安变为去美国留学。三是准团圆的结局被删去，故事情节就在沈顾二人劫后重逢的一幕就结束了。

张爱玲对《怨女》的改动更为巨大。在原型《金锁记》中，故事情节分为两节，后半部分较多的描写长安。在《怨女》中，长安的故事被删掉，转而重点描述主人公七巧，即后来的银娣。《怨女》的篇幅大为增加，大量的笔墨用来描述没落大家庭的日常生活。对于女主人公所处的环境，与家人的关系以及内心活动，都进行了细致的勾画描写。一些原本侧面稍稍提及的情节在后来也得到正面展开，有些人物也得到更完整的描述。比如，姜季泽原是个“但见其眼里永远有三分不耐烦和潇洒身段”的人物，在《怨女》中，不仅突出了他在女主人公心中的地位，还突出了他对于女主人公的意义。银娣这个女主人公也从一个心理变态的疯子转变成一个庸常之辈。

到美国后，张爱玲发表的小说除了《怨女》外，还有《五四遗事》《色戒》等。

《五四遗事》是用英文写的，发表于1956年，次年译为中文，发表于台北夏济安主编的《文学杂志》上。这篇小说在1956年9月12日发表在美国的《记者》双周刊上，题目是"Stale Mates"。那时，夏志清的兄长夏济安主编的《文学杂志》向张爱玲约稿。张爱玲在美国知心朋友很少，难得有像夏志清兄弟这样古道热肠的朋友，在文学上亦是知音，自然应允下来。

张爱玲把这篇英文小说用中文译出，名为《五四遗事》。虽然看似译本，实际上却花了不少工夫。中文本与英文本并不完全一样，中文本要比英文原作更灵活自然。夏济安对这篇小说评价极高，在他写给朋友的信中说："张爱玲的小说确实不同凡响……张女士因熟读旧小说，充分利用它们的好处。她又深通中国的世故人情，她的灵魂的根是插在中国的泥土深处里，她是真正的中国小说家。"夏济安是一个自视甚高的人，能如此夸赞张爱玲实属不易。

《五四遗事》这篇小说是对人性与时局的关注。轰轰烈烈的"五四运动"以后五年，恋爱自由、婚姻自主的观念成为青年人的时髦话题。罗某已经由父母包办结婚了，但受"新时代"精神的影响，对家里包办的目不识丁的妻子不满意，爱上女校的一个新女性密斯范。罗与密斯范二人，还有他们的朋友郭某与密斯周，两对男女，开始时是最时髦的充满浪漫的爱情，在月下游湖，在草地上朗诵雪莱的诗，或是写信交流新看的书刊。

罗某与家中包办的妻子闹离婚，但家里坚决不同意，一拖数年。密斯范疑心他一味拖延，结婚的希望渺茫，这位新女性便经媒人介绍与一个开当铺的相亲。罗某得知消息，但还是硬着头皮离了婚，人们把他当作有勇气与封建婚姻挑战的开路先锋，但不久他又找媒婆介绍了染坊王家的美貌女儿，与他的前妻一样，也是没有文化的旧式女人。然而密斯范的婚事不知道为什么没有成功，罗与她再次重逢，旧情复炽，顿悟这新式女性才是他的理想，于是第二次闹离婚，又经五年终于如愿。罗某与密斯范住到了富有诗意的西湖边上，但新婚不久，他就发现自己心目中这个最有诗意的新式女性原来和旧式女人并没有多少不同，区别只是比旧式女人懒比旧式女人虚荣。

密斯范爱打麻将，“没有牌局的时候，她在家里成天躺在床上嗑瓜子，衣服也懒得换，污旧的长衫，袍叉撕裂了也不补，纽绊破了就用一根别针别上。出去的时候穿的仍旧是做新娘子时的衣服，大红大绿，反而更加衬出面容的黄瘦。罗觉得她简直变了个人。”罗很失望，三天两头吵架，又想起染坊的王小姐，觉得还是旧式女子贤惠，把她接了回来，密斯范这位对多妻制不满的新女性虽然声称要自杀，但还是不愿离婚，客客气气地与王小姐相处，后来罗又把第一任妻子也接了回来。到了五四以后十多年的1936年，至少在名义上是个一夫一妻制的社会，这位五四时代的“新青年”却拥着三位娇妻在湖上偕游，朋友们一边羡慕他的“稀有的艳福”，一边取笑道：“至少你们不用另外找搭子，关起门来就是一桌麻将。”

小说中充满了对人性的讽刺。经过了“五四运动”“洗礼”的所谓的新式的男女并没有战胜他们人性中的弱点。罗的见异思迁、喜新厌旧的天性，并没有被“五四运动”冲洗掉。密斯范这样的新式女子也未能克服与生俱来的女性的虚荣与依赖心理。她还没有得到他的时候，为了讨得他的喜欢，“与岁月的侵蚀”斗争，她的发式与服装都是经过缜密的研究，既保持与他初相识时的美丽，又不要落伍，“是流行式样与回忆之间微妙的妥协”。为了迎合他的口味，“他送给她的书，她无不从头至尾阅读，她崇拜雪莱，十年如一日”。当爱情失去了保障，哪怕做小她也愿意。在五四时代中走了一圈，又回到五四前的现状。正像张爱玲与苏青对谈时说的，这种女人，一方面标榜新女性的自由，另一方旧女性的权利她也要，最终未能走出旧式女人的命运，凸显了改革背景下人性的弱点。

《色戒》这篇小说在众多作品中堪称是最富戏剧性的。其故事梗概经人考证是四十年代初发生于上海的刺杀大汉奸丁默的一件真事。发生于上海极司菲尔路76号汪伪特工总部，头目是汪伪大汉奸丁默。张爱玲这篇小说没有把内容写成浅薄的美人计刺杀小说，她着重刻画了女主人公王佳芝假扮少妇郑苹如勾引上汉奸易某行刺前后的心理。

王佳芝是个富有爱国抗日正义感的青年学生，为了靠近并刺杀汉奸，她装扮成少妇，被迫与不喜欢的人学习勾引之术，做出了无谓的牺牲。但她的同伴们反而鄙视她，连她最有好感的邝裕民都这样看待她。她受到很大的刺激，但是当他们来再次请她去行动时，她还是“义不容辞”地去了。

郑苹如与易某有几次交往，将要行刺前，内心却很纷乱，“每次跟老易在一起都像洗了个热水澡，把积郁都冲掉了，因为一切有了个目的”。当她与易某上商店去购买项链，知道会有人埋伏在商店门口，待他们出来时行动。此时郑苹如内心很矛盾，她觉得这一刹那间仿佛只有他与她两人在一起。她憎恨玩过她的梁闰生，与梁闰生这些人相比，这个汉奸倒像爱她的。易某想不到“獐头鼠目”的自己中年以后还会有这样的奇遇，他想到她对他的爱中可能有权势的因素。郑苹如也疑心自己“有点爱上老易，她不信，但是也无法斩钉截铁地说不是，因为没有恋爱过，不知道怎样就算爱上了”。

她看到这个汉奸，“脸上的微笑有点悲哀”，她疑心自己是不是爱虚荣的贱女人，又否定了，他“此刻的微笑丝毫不带讽刺性，不过有点悲哀，他的侧影迎着台灯，目光下视，睫毛像米色的蛾刺，歇落在瘦瘦的面颊上，在她看来是一种温柔怜惜的神情”。

“这个人真爱我的，她突然想，心下轰然一声，若有所失。”

她低声说："快走。"

她知道这太晚了。但是"老易"却已躲过这场灾难。他回到家中，已经布置了手下人把这一切行刺的人包括她一网打尽，统统枪毙。但他还在想："她还是真爱他的，是他生平第一个红粉知己。"

"得一知己，死而无憾，他觉得她的影子会永远依傍他，安慰他。虽然她恨他，她最后对他的感情强烈到是什么感情都不相干了，只是有感情。他们是原始的猎人与猎物的关系，虎与伥的关系，最终级的占有。她这才生是他的人，死是他的鬼。"

郑苹如与易某在政治上是敌对的关系，一个是单纯的爱国青年，一个是杀人不眨眼的刽子手，然而都是人，有人性的相通之处。郑苹如人性中的善良与软弱使她放走了这个汉奸，但易某却残酷地把她置于死地，虽然他内心也颇为不舍。人性与政治之间的对立和纠结，或许也包含着张爱玲对与胡兰成婚恋的反思。明知是汉奸，但人性中的弱点与情感战胜了一切，爱上他，但这爱到头来却给政治粉碎了。爱情终究超越不了政治，女性的内心更注重性情，而男性的内心更依从政治，这就是人性的差异和悲哀。

张爱玲后期的作品数量虽然并不少，但多为对前期作品的改写，崭新的作品已经不再有所出。此时的张爱玲，虽然身在高校，却离群索居，不问世事，多年的孤寂已经让她失去了追寻新事物的动力和信心。异国他乡，孤身一人，曾经的恣意飞扬、绚丽浓烈的她，而今就在回忆中延续着自己的创作之梦。

第七章　迟暮之美

经历了太多的悲喜与离合，当繁华落幕，她只能亦步亦趋地一个人走向陌路。虽然此路遥遥，但她终究不是一个与人相交而欢的人。她能做的，就是带着她曾经历过的亲情、友情、爱情，还有她一生钟情的文字，了无牵挂地去往她心中的天国。那里没有颠沛，没有背叛，没有冷漠，没有别离，那里有她一生最爱的所有……

大隐于世

1969 年 7 月，张爱玲从波士顿搬至柏克莱的加州大学中国研究中心担任高级研究员。最开始，张爱玲在加州大学的中国研究中心的工作并不顺利，她的主要工作内容是对中国共产党专用词汇的研究。然而，这对于擅长文学创作而不问世事的张爱玲来说，不禁有些勉为其难。并且在 1970 年，这方面并未产生很多新术语，所以张爱玲提交的工作报告里汇总的词汇寥寥无几。

张爱玲的作息时间是与众不同的，她一般在下午才开始工作，一直持续到深夜。平日身边的同事也并不常见面，再加上她不喜参加社交活动，生活越来越离群索居。加上柏克莱的天气属于湿冷气候，张爱玲也多有不适，经常生病。

与此同时，20 世纪六十年代末琼瑶言情小说正当热潮，读者自然由琼瑶联想起张爱玲，外加作为皇冠出版社老板的平鑫涛推波助澜，不失时机地把张爱玲的作品推向广大读者，又推出一个“张爱玲热”。1966 年 4 月，《怨女》由皇冠出版社出版。在 1968 年，皇冠出版社重印了张爱玲的著作，出版《张爱玲短篇小说集》，即将《传奇》《流言》《秧歌》《怨女》《半生缘》等集中在一起。

当时，台湾作家的言情类小说均在不同程度上接受了张爱玲作品的影响。比如，当时陈若曦对她极为崇拜。施叔青说张爱玲的小说是她的《圣经》。侨居美国的女作家於梨华也说：“现在写小说的，我最喜欢张爱玲。”

著名的女作家三毛不仅在写法上与张爱玲文风相似，甚至在为文章拟定题目时，也是贴近于张爱玲风格的。三毛在自杀前，曾以张爱玲与胡兰成的婚恋为蓝本写了电影剧本《滚滚红尘》，基调于张爱玲的风格甚为一致。

张爱玲曾经接受了她忠实读者水晶先生的一次拜访。1970 年 9 月，水晶刚到柏克莱城，行李还没来得及安顿好，就急于寻找张爱玲的住所。十余年前张爱玲到台湾时，他就是张爱玲迷，张爱玲的小说他是作为范文背诵的。现在到了美国，他终于鼓足勇气去拜访。他第一次踏上张爱玲所住的大型公寓的门前，怀着忐忑不安的心情按响了门铃。过了一会儿，话筒里传来张爱玲迟缓沙哑的声音，水晶一紧张，竟用了英语来回答，通报姓名后，张爱玲迟缓片刻说到："不能见我。"又说："因为感冒了，躺在床上，很抱歉。"她的语调低缓平静，没有任何感情色彩，但是张爱玲把家里的电话告诉了水晶，很高兴他的到来，让他下次来访提前打电话。

随后，水晶不敢贸然上门，只是先往家里打电话，但打了一个多星期一直没有打通。后来，在一个周末的深夜两点钟，电话竟意外地打通了。当时，张爱玲精神较好，在电话里和水晶谈了很长时间。1971 年 6 月，水晶的作品《试论张爱玲<倾城之恋>中的神话结构》出版，他将复印稿件寄给张爱玲。不久，收到张爱玲的回信说："我总希望你在动身前能见着——已经病了一冬天，讲着都嫌腻烦。下星期也许会好一点。哪天晚上请你过来一趟，请打个电话来，下午五六点钟后打。祝近好，文章收到，非常感谢。"

张爱玲对水晶的来访是很用心的。知道水晶去年订婚了，特地为他购买了一瓶八盎司重的 Chanel No. 5 牌的香水送给他的未婚妻，此举让水晶感动不已。后来水晶先生把这段经历整理成文，得以珍藏，并刊载于台湾的《中国时报》。

水晶为我们再现了当时他拜访张爱玲时的情景。

张爱玲的起居室犹如雪洞一般，墙上没有一丝装饰和照片，迎面一排满地玻璃长窗。她起身拉开白纱幔，参天的法国梧桐，在路灯下，使随着扶摇的新绿，耀眼而来。远处，眺望得到旧金山的整幅夜景。隔着苍茫的金山湾海山，急遽变动的灯火，像《金锁记》里的句子：“营营飞着一窠红的星，又是一窠绿的星。”

当时他对张爱玲本人的描述是：

她当然很瘦——这瘦很多人写过，尤其瘦的是两条胳臂。如果借用杜老的诗来形容，是“清晖玉臂寒”。像是她生命中所有的力量和血液，统统流进她稿纸的格子里去了。她的脸庞却很大，保持了胡兰成所写的“白描的牡丹花”的底子。眼睛也大，“清炯炯的，满溢着颤抖的灵魂，像是《魂归离恨天》的作者艾米莉·勃朗蒂”——这自然是她自己的句子了。她微扬着脸，穿着高领圈青莲色旗袍，斜欠身子坐在沙发上，逸兴遄飞，笑容可掬。

头发是“五凤翻飞”式的，像是雪莱《西风歌》里迎着天籁怒张着黑发的 Meanad 女神。

水晶听闻张爱玲的笑声，这样描述道：

她的笑声听来有点腻答答的，发痴嘀嗒，是十岁左右小女孩的那种笑声，令人完全不敢相信，她已经活过了半个世纪。

我想张爱玲很像一只蝉，薄薄的纱翼虽然脆弱，身体的纤维质素却很坚实，潜伏的力量也大，而且，一飞便藏到柳荫深处。

这次拜访，他们交谈的时间长达七个小时之久。其间，谈到了许多张爱玲的作品，如《半生缘》《怨女》《歇浦潮》《海上花》《倾城之恋》《第一炉香》《金瓶梅》等。也谈到五四以来的作家。她还谈到了一些台湾作家。她认为台湾作家社交聚会太过频繁，作家还是分散距离一些更好，避免彼此受到妨碍。

1971 年 5 月，陈世骧先生病故。6 月，张爱玲与加州大学结束了任职生涯。对于向往自由、不堪约束的张爱玲来说，此次离开并未影响到她的正常生活。当时张爱玲已经从皇冠出版社的作品出版中获得了颇为稳定的收入。随着推崇张爱玲作品的热度再次出现，知名度进一步提高，她偶尔在港台报刊上发表的作品，也都能得到比较高的报酬。由此而来的经济来源已经足以应对生活所需。张爱玲离开加州大学后就搬到了洛杉矶居住。

张爱玲在洛杉矶隐居期间，几乎不和外界联系，也不和陌生人交流，她的私人事情和生活状况只被极少的一两个人所知晓。此期间张爱玲在创作上虽然势头已减，也并不是无所出，《相见欢》就是在此期间创作的。

张爱玲在美国的生活极为简单，她常吃中国餐馆送的外卖，但从来不与送餐的工作人员见面。门上按着锁链，张爱玲把外卖费从里面递出来，送餐员接过钱将食物挂在门把上。直到确定陌生人走了，张爱玲才开门拿餐。公路边的快餐店成了张爱玲的办公室，《惘然记》就是从那里点点滴滴创作出来的。

时至暮年的张爱玲，虽然不问世事却甚为维护自己的原创作品。1983 年 6 月，《惘然记》经由皇冠出版社发行，其中收入了张爱玲众多作品，包括《色戒》《浮花浪蕊》《相见欢》，还包括 40 年代的旧作《殷宝艳送花楼会》，并加了尾声，《多少恨》加了前言，50 年代的电影剧本《情场如战场》，并因着《惘然记》张爱玲还创作了一篇序。

张爱玲在陌生的国度，身处熙熙攘攘热闹的城市，但却不能缓解她内心的孤寂。“可怜侯门绣户女，独卧青灯古佛旁”，这种苍凉，让张爱玲对外面的世界望而却步，宁愿沉浸在青灯古书中，去研讨古人的世界和内心，也不再愿意与身边的现实为伍，失去了走进现实世界的动力和信心。

离别之歌

从 80 年代起，张爱玲的健康每况愈下，早年的皮肤病，此时变得更加严重。张爱玲一直认为之所以会久治不愈，就是室内的虱子导致的。为了摆脱虱子的困扰，在一段时期内，张爱玲在洛杉矶城市和近郊的汽车旅馆之间经常搬家。张爱玲暮年的好友林式同就是在此期间结识的。在她晚年的生活中，林式同给予了她许多生活上的帮助。

那时，张爱玲经常提着大袋小袋的行李，在各个汽车旅馆之间流浪。她穿着长风衣，戴着假发，两手提着纸袋，肩背皮包，脚上穿着毛巾拖鞋，这已经成为她在日落大道搬家的基本装备。这也是她所能负荷的行李，更是现下唯一拥有的东西。显然，张爱玲已经习惯了这种频繁搬家的状态，只是在搬家过程中不慎丢失的翻译手稿和证件实在令人惋惜。

张爱玲后来住进了洛杉矶 Lake 公寓，房号是 322。1988 年她写信给老友夏志清诉说自己的近况：

志清，多谢你来信问候！这以来，总是天天上午忙搬家，下午远道上城看医生，有时候回来已经过了午夜，最后一段公车停驶要叫汽车——剩下的时间只够吃睡，所以才有收信不拆看的荒诞行径。直到昨天才看到你 1985 年以来的信，相信你不会见怪！也许你想我为什么这样莫名其妙，不趁目前此间出版界的中国女作家热，振作一下，倒反而关起门来连信也不看！倘使病废，倒又发表一些不相干的短文。事实上，我是 enslaved by my various ailments（受俘于慢性症），都是不致命而要费时间精力在上面的！又精神不济，做点事歇半天！过去有一年多接连感冒卧病，荒废了这些日常功课，就都大坏！好了就只顾忙着补救。光看牙齿就要不断地去两年多。到现在都还在紧急状态中。收到信只看账单和时间紧迫的业务信，以至你的信和久未通讯的炎樱的，都没拆开收了起来。

1991年7月，张爱玲又搬了一次家，这次她搬到了林式同家附近的Rochester公寓206房。厨房抽屉里都是塑料餐具，身外之物简单到不能再简单了。她有时抱怨自己的皮肤病和牙齿，林式同安慰她："牙齿不好就拔掉！我也牙痛，拔掉就没事了！"张爱玲微怔着，若有所思地说："身外之物还丢得不够彻底！"

张爱玲生性清冷，拒绝一切陌生人，也不轻易让任何人进她的房间，但自己又常常忘记带钥匙，要请伊朗女经理为她开门，顺便喃喃地发几句牢骚："门实在太容易关上，太难打开，还有浴室设备也不好。"

女经理很不悦地说："我不知道你在说什么！房子你是来看过的！"

张爱玲坚持辩白道："有些问题是使用才会发生的！看是看不出来的！"

女经理要进去核查一下，张爱玲却又一口回绝说："不用了！我还可以将就！"

张爱玲喜欢把常用的东西摆在眼睛看得见、能够容易找到的地方，所以家里的摆设甚为凌乱。衰老的张爱玲已经没有力气去整理房间了。

曾经，张爱玲在好友夏志清的介绍下栖身高校，整日沉浸在哈佛燕京图书馆和柏克莱加大的东亚图书资料库。即使极少与外界联系，也能让她精神世界有所依托，生活充实。厚重的文化底蕴和丰富的藏书，给予了张爱玲一段美好的时光。她创作的关于《红楼梦》的一些优秀作品就诞生在这段时光里。

随着香港和台湾再次掀起的“张爱玲热”，许多往日的作品被相关研究者找寻出来，当作出土文物在各种杂志上发表。虽然张爱玲对自己旧作的某些不满几十年来一直放在心间，但是迫于当初离开内地时的仓促惶恐，许多书稿并未随身携带出来。有些作品内容时隔多年已经淡忘无几，如今被世人寻找出来再次审视，恍如隔世的感慨不禁涌上心头。

她将沦陷期间未收入《流言》的散文《姑姑语录》《论写作》《天才梦》，未写成的小说《连环套》《创世纪》，以及后来发表的《忆胡适之》《谈看书》《谈看书后记》，定名为《张看》交由台北皇冠出版社出版。在此书的序中，对于当年被傅雷严厉批评过的《连环套》的缺点所在，张爱玲也予以默认：

三十年不见，尽管自以为坏，也没想到这样恶劣，通篇胡扯，不禁骇笑。一路看下去，不由得一直龇牙咧嘴做鬼脸，皱着眉咬着牙笑，从齿缝里迸出一声拖长的“Eeeeee!”（用“噫”会被误认为是叹息，“咦”又像是惊讶，都不对）连牙齿寒飕飕起来，这才尝到“齿冷”的滋味。看到霓喜去支店探望店伙情人一节，以为行文至此，总有个什么目的，看完了诧异地对自己说：“就这样算了？”想要探测写这一段时候的脑筋，竟格格不入进不去，一片空白，感到一丝恐怖。

直到1992年，《张爱玲全集》问世。这部著作汇集了张爱玲所有的创作文字，包括小说、电影剧本和学术性论著。全集中将短篇小说分为两册，题目分别为“回顾展之一”“回顾展之二”。在《张爱玲全集》外，她还添加了一册《对照集》。

在这部《对照集》里，张爱玲加入了母亲、姑姑和炎樱的相片，也有不少她自己风华正茂时代的照片。但是，男士的照片鲜有一二，仅存有她父亲的照片，也还是在一张集体照中处在甚为偏僻的角落，并不清楚真切。

而在张爱玲人生中留下沉重痕迹的男士，胡兰成和赖雅都没有出现在这部册子中。对家人的思念，虽然一直萦绕在张爱玲的心间，但终究“有弟皆分散，无家问死生”。远在异乡的姑姑在晚年也不时念叨：“不知爱玲怎么样了。”年近八旬的姑姑对张爱玲的情况也是牵挂的。有一次，她看到柯灵的《遥寄张爱玲》一文后，写信向柯灵求助，奈何柯灵也不清楚张爱玲的近况，于是辗转通过港台朋友打听。

张爱玲的弟弟张子静亦颇费周折寻找过姐姐。1981 年底，张子静在上海《文汇月刊》上读到张葆莘的文章《张爱玲传奇》后，他萌动了寻找姐姐的念头，于是他托台湾的亲戚、美国的朋友寻找。经过一段相当曲折的过程后，张爱玲终于与亲人联系上了。但不久张爱玲移居洛杉矶，姑姑与弟弟的信件丢失，双方再次失去了联系。

后来，张子静屡次去信都石沉大海，托亲友寻找也毫无下落，最后只得求助上海市政府华侨事务办公室。上海市侨办把他的信又转交国务院侨办，几经周折信件转给美国洛杉矶领事馆，最后通过一个名叫戴文采的新闻记者再度找到了张爱玲。

晚年的张爱玲很少写信，即使写信也只寥寥数语，唯有给姑姑的信写得最多、最长。姑姑自张爱玲 1952 年离开内地后一直孤身一人住在长江公寓，直到 1979 年 78 岁时，才宣布与几十年的老朋友、三十年代与自己同在一家洋行工作的李开弟结婚。1939 年，张爱玲去香港大学读书，在法律上需要一个监护人，姑姑就托当时在香港分行做事的李开弟先生作张爱玲的监护人。后来，姑姑写信告诉张爱玲她结婚的事，张爱玲很高兴，马上写信祝贺。

她在信上说，她听说早年有人给姑姑算命，说她到老年才能结婚，现在终于应验了，她为姑姑感到高兴。后来，张子静曾经劝说张爱玲回上海看看，但是她拒绝了。

或许，时至多年，曾经的上海已经物是人非，曾经的虚无爱情、动荡时局、口诛笔伐都在张爱玲的心中留下了难以抚平的伤痕。内心隐隐作痛的惶恐和感情上无法跨越的距离感，让她不愿意也没有勇气故地重游了。

张爱玲的最后一张照片是她在获得台湾《中国时报》授予"文学奖特别成就奖"时拍的，这也是她留给世人的最后影像。照片上的张爱玲已经苍老，身形消瘦，似乎已经有了健康问题。照片中的她手中握着的一卷报纸上赫然印着"主席金日成昨猝逝"的黑体大字。

张爱玲的那篇"得奖感言"也写得极为平实，语调则是平静中透着清冷。在感言中，张爱玲回忆了几十年前《天才梦》一文所受到的不甚公平的获奖经历后，进而在文末写道：

五十多年后，有关人物大概只有我还在，由得我一个人自说自话，片面之间即使可信，也嫌小气，这些年了还记恨？当然事过境迁早已淡忘了，不过十几岁的人感情最剧烈，得奖这件事成了一只神经死了的蛀牙，所以现在得奖也一点感觉都没有。隔了半世纪还剥夺我应有的喜悦，难免怨愤。现在此地的文艺将这样公开评审，我说了出来也让与赛者有个比较。

薄薄的一册《对照集》是张爱玲的最后一部著作。严格来说，这更是一本相片集，册中集中了她各个时期的照片，也收录了她一直保存的家人的旧照，张爱玲为照片一一写了题记。这部《对照集》是张爱玲以自己独特的方式编纂的回忆录，她向世人公开了部分私人生活和生命历程，也以一种婉约的方式向世人道别。

在《对照记》的结尾，张爱玲这样写道：

然后时间加速，越来越快，越来越快，繁弦急管转入急管哀弦，急景凋年倒已经遥遥在望。一连串的蒙太奇，下接淡出。

最后声明

人到暮年，总是如此，归宿是一样的，不一样的是归宿的形式与前后事。在《封锁》中，张爱玲就时光有过这样的感慨：

在封锁中，太多浮游的情感与仓促的生命，抓得住的只有现在……现在……封锁的短暂中不奢谈永世。如果不碰到封锁，电车的进行是永远不会断的。封锁了。摇铃了。“叮铃铃铃铃铃”，每一个“铃”字是冷冷的一点，一点一点连成了一条虚线，切断了时间与空间。

张爱玲晚年离群索居，独自幽居在加州的 Kingsley 公寓，几乎与外面的世界没有任何交往。她的老朋友庄信正先生曾托付住在洛杉矶的建筑商人林式同照顾她。林式同首次拜访张爱玲时，找到其住的 305 室，敲了敲门，仿佛听到屋内有声音，却无人应答。他早就听说张爱玲比较排斥陌生人，所以他便又敲了一次，并自我介绍：“张女士！我是庄先生的朋友，我姓林！他托我拿东西给您！我跟您通过电话！”

过了好一会儿，屋内一个轻柔的声音慢慢地应答道：“我衣服还没换好！请你把东西摆在门口就回去吧！谢谢！”

于是，林式同便把东西放在了门口，自行离开。

1985 年 4 月，林式同第二次去见张爱玲，距离上次送文件已经过去一年半的时间。这一次见面是在一家汽车旅馆简陋的会客区。张爱玲很准时地出现了，头上包着灰色的方巾，身上穿着一件同样色系的灯笼式罩袍。一进来就朝一张能避过旅馆经理的椅子坐下，朝林式同点头微笑致意。张爱玲问他住得有多远，随即为上次的事情道歉："时间真是可怕！我每天都在跟时间作战！所以我也特别不愿意浪费人家的时间！"

林式同连忙说道："你不用这么客气，庄跟我是老朋友！他托我要照顾你，结果你一件事也没有交代我，庄打电话来问我都不好意思！"

张爱玲提出："现在要麻烦你了！我申请房子的收入证明还有证件都丢了，现在要找房子很困难，目前暂时还住汽车旅馆，如果哪天有需要，恐怕要请你帮忙。"

林式同表示没有问题，接着便问："你一直都住在汽车旅馆?"

张爱玲回答得很认真："是为了方便！不干净可以马上搬！我在躲跳蚤！那是一种南美洲跳蚤！生命力特别强，杀虫剂都没有用！"

随后，张爱玲站起来说："耽误你太多时间！下次我有需要，就不客气，直接给你打电话了！"

后来，林式同才发现整个见面不过五分钟。

张爱玲的晚年生活就如她在《公寓生活记趣》中写的那样：

厌倦了大都会的人们往往记挂着和平幽静的乡村，心心念念盼望着有一天能够告老归田，养蜂种菜，享点清福。殊不知在乡下多买半斤腊肉便要引起许多闲言闲语，而在公寓房子的最上层你就是站在窗前换衣服也不妨事。

1992年2月14日，张爱玲在美国加州洛杉矶市比华利山立了一份遗嘱，在法定公证人与其他三位证人面前宣誓完成，一切依照当地法律。遗嘱内容简单，只有三点事项：

第一，我去世后，我将我拥有的所有一切都留给宋琪夫妇。

第二，遗体立时焚化——不要举行殡仪馆仪式——骨灰撒在荒芜的地方——如在陆上就在广阔范围内分撒。

第三，我委任林式同先生为这份遗嘱的执行人。

1995 年 9 月 8 日，邻居向警察署报告，已经很长时间没有见过那位瘦弱的中国老人了。洛杉矶警署的官员在打开张爱玲公寓之门的一瞬间，不禁被眼前凄凉的一幕所震撼：张爱玲身穿赭红色旗袍，安静地躺在一张行军床上，她已经死了。

林式同对张爱玲离世时的情景有这样的回忆：

张爱玲是躺在房里唯一的一张靠墙的行军床上去世的。身下垫着一床蓝灰色的毯子，没有盖任何东西，头朝着房门，脸向外，眼和嘴都闭着，头发很短，手和脚都很自然地平放着。她的遗容很安详，只是出奇的瘦，保暖的日光灯在房东发现时还亮着。

张爱玲被发现的时候，大概距离其真正死亡时间已经过了一周左右。据当地医生给出的结论死因是心血管疾病。张爱玲永远地离开了这个苍凉的世界，正如她在作品中写的："人生是残酷的，看到我们缩小又缩小的，怯怯的愿望，我总觉得有无限的惨伤。"

林式同是张爱玲晚年接触最多的人，后来，在庄信正先生的建议下，他把自己所了解的张爱玲在洛杉矶晚年的生活状况叙述出来，让大家了解。1995 年 11 月林式同写了一篇题为《有缘识得张爱玲》的文章，收录在 1996 年 4 月台湾皇冠出版社出版的一本书《华丽与苍凉——张爱玲纪念文集》里。此书主要收集了与张爱玲相识过的人所写的文章以资纪念。作者主要有夏志清、庄信正、於梨华、苏伟贞、水晶、王德威、朱西甯、张小红、杨照、蔡登山等。

林式同在《有缘识得张爱玲》一文中写道："1992 年 2 月 17 日，张爱玲寄来一封信，里面有一份遗嘱。""一看之下我心里觉得这人真怪，好好的给我遗书干什么……遗书中提到宋琪，我并不认识，信中也没有说明他们夫妇的联系处，仅说如果我不肯当执行人，可以另请他人。张爱玲不是好好的吗？我母亲比她大得多，一点事也没有……"没再答复她。而对张爱玲来说，林式同没有回音就等于默认。而后，双方再也没提起这件事，权当默认。

张爱玲在洛杉矶家中去世后，当时警察从房东那里得到林式同的联系方式，给林打了电话。"这是 L. A. P. D.（洛杉矶警察局），你是林先生吗？张女士已经去世了，我们这儿调查一下，请你二十分钟以后再打电话来，我们在她的房间里，你有这儿的电话号码。"

下午 3 点左右，林式同携着遗嘱副本赶到张爱玲住所。在公寓门外，一个女警察拿出一个手提包交给他，里面装满信件及文件，同时交出一串钥匙。林式同回忆文章写道："她要马上火葬，不要人看到遗体。自她去世至火化，除了房东、警察、我和殡仪馆的执行人员外，没有任何人看过她的遗容，也没有照过相。"

对于张爱玲生前住所，林式同也有描述：

门旁靠墙放着那一张窄窄的行军床，上面还铺着张爱玲去世时躺的那床蓝灰色的毯子，床前地上放着电视机、落地灯、日光灯。唯一的一张折叠床倚在东墙靠近门的地方，厨房里搁着一把棕色的折叠椅，一具折叠梯，这就是全部的家具了。对门朝北的床前，堆着一叠纸盒，就是写字台，张爱玲坐在这堆纸盒前面的地毯上，做她的书写工作。

在《我看苏青》中曾经记录了这样一段谈话内容，苏青问张爱玲："你想，将来到底是不是要有一个理想的国度呢?"

张爱玲说："我想也是有的。但是最快最快也要许多年。即使我们能看得见的话，也享受不到了，是下一代的世界了。"

苏青叹息说："那有什么好呢? 到时候已经老了。在太平的世界里，我们变得寄人篱下了吗?"

张爱玲飘零的一生终于在此时尘埃落定了。从离开上海到客死异乡，时隔四十多年的漫漫岁月，太平的世界终于来临，而曾经的人已经早已离开，徒留一袭香影任世人追寻怀念。正如张爱玲在《金锁记》中写的："三十年前的月亮早已沉了下去，三十年前的人也死了，然而三十年前的故事还没完——完不了。"

永不凋谢的海上花

张爱玲，一代才女，终于要静谧了。

75 年前的 1920 年 9 月 30 日，中秋节后的第四天，她来到了这个世界。那个时候，月亮已经圆过去了，不太圆。

“长的是磨难，短的是人生。”不能安排人生的开始，但她到底安排了自己人生的结尾。

无法安排的是生命里的两个男人。

胡兰成是懂她的。“张爱玲是民国世界的临水照花人。看她的文章，只觉得她什么都晓得，其实她却世事经历得很少，但是这个时代的一切自会来与她交涉，好像‘花来衫里，影落池中’。”是啊，这个时代的一切自会来与她交涉，她只需整理好一切，安排好一切，剩下的就交由这个世界这个时代去完成。于是，早早地，她写下了遗嘱，将自己所有的遗产均交与宋琪夫妇。

赖雅是爱她的，虽然他的爱是那么的羸弱。但是，赖雅对于张爱玲是精神支柱，无论怎样，他是真正爱她的人。从 1967 年送走赖雅后的 28 年，张爱玲便不再公开露面。

张爱玲生命里的两个男人，一个在 20 年前以背叛给予她沉重打击；一个在 20 年后以死亡再次给予她沉重打击。这对于一生描写普通人生活，向往真正爱情的张爱玲，是多么令人心痛啊。

她期待的慈悲，胡兰成漠然视之；她便将这慈悲给了赖雅。

1995 年 9 月 19 日，张爱玲的遗体在洛杉矶惠捷尔市的玫瑰岗墓园火化，没有仪式，也没有亲人，她独独去承受那烈火的炙烤。

9 月 30 日，是张爱玲出生的日子。遵照她的遗嘱，林式同与另几位朋友带着她的骨灰盒，以及两大袋红白玫瑰花，乘船来到海上，让她永远地归入大海，与太平洋为伴，与蓝天为伴，让她的高贵血统与普世情怀永远地融入海天一线。

上午九点半，船长宣布关掉船体引擎，让船静静地飘在海面上，所有人对骨灰盒三鞠躬，念祭文。林式同沉默了一会儿，打开了骨灰盒，在低于船舷的高度开始撒灰。一时汽笛长鸣，潮水涌动，灰白色的骨灰，同漫天的红白玫瑰花瓣，一同飘在深蓝色的大海上，渐行渐远……

余下的是我们的愿望——愿上天垂怜，让太平洋的波与浪将她带回生她养她，曾经离开便再也没有回到过的上海。回到故乡，所有埋下的并贯穿一生的痛与苦才会彻底解决。那时，她才会真正解脱。因为，真正懂得她的是她的故乡，能给她毫无保留的慈悲的也是这个城市。

她凋谢了。世人再也不能等到《小团圆》的结局了。她自是知道，这团圆只有去向另一个世界向祖先们寻找了。

回头看看，张爱玲的身世、命运和她的文字一样精彩而极富传奇。她背后有着显赫的家世，但到她这一代已经到了荒芜绝境。她历经家庭的变故，继母的苛待，历经战乱，然而她却始终如一朵孤傲的海上花，远远地看着岸边人世的喧闹和离别。

张爱玲说自己爱用色彩浓重、音韵铿锵的字眼，如珠灰，婉妙。她的文字间透着毫不媚俗的冷漠和漫不经心的洒脱，有对社会的指评剖解，有对尘世的嬉笑怒骂，她用文字砌出一截截的世态炎凉，却无法掩饰荒凉的底色。

有人说，张爱玲的性格就是一个矛盾的集合体：她向往生活的艺术，却又是一个悲观主义者；她出身名门，却自豪地宣称不靠任何人；她通达人情世故，却我行我素，不为人所左右；她用文字与读者聊家常，谈心事，现实里却不肯让人窥探自己的内心；她曾经红极一时，暮年却在异国他乡隐居。有人曾说：“只有张爱玲才可以同时承受灿烂夺目的喧闹与极度的孤寂。”

在我们的心中，她不会凋谢。她还是那样的聪明伶俐如天才在文字、音乐与图画中徜徉；她还是那样的在父亲、母亲、后母与姑姑之间到处乱撞寻找亲情的港湾；她还是那样的在文字中获得自信、自尊与自给自足的年轻女作家；她还是那样的在与胡兰成的相处中感受炽热爱情与无情背叛并毅然决然挣脱的理智女性；她还是那样的在与赖雅的婚姻中感受迟来的美好爱情的小女人；她也还是那样自赖雅死后便僻居异国他乡不愿见人唯愿安静严谨的伟大女作家。

不要相信她会将她的灵魂附着在任何一处我们可以看见的地方或者物体上，她自是干脆地、干净地离去了。所有关于她的一切，我们要自行努力寻找。

最终，张爱玲选择了那样一种回归自然的方式，让自己的躯体散入大海，让灵魂在蔚蓝色的浩瀚中自由翱翔。那时的她，应该是真正快乐的。她那张含笑的脸，会在碧波浩渺间载浮载沉，一如她挚爱的《海上花》所描述的美好意境。

她来自海上，亦终回归海上。

但愿，某一天或某一刻，我们能在文字和故事中感到那个曾经来到这个世界的美丽生命——临水照花人。

附录：

张爱玲经典语录（部分）

1. 因为懂得，所以慈悲。

2. “死生契阔，与子成说；执子之手，与子偕老”是一首悲哀的诗，然而它的人生态度又是何等肯定。我不喜欢壮烈。我是喜欢悲壮，更喜欢苍凉。壮烈只是力，没有美，似乎缺少人性。悲哀则如大红大绿的配色，是一种强烈的对照。

3. 要做的事情总找得出时间和机会；不要做的事情总找得出借口。

4. 一个知己就好像一面镜子，反映出我们天性中最优美的部分。

5. 替别人做点事，又有点怨，活着才有意思，否则太空虚了。

6. 教书很难——又要做戏，又要做人。

7. 书是最好的朋友。唯一的缺点是使我近视加深，但还是值得的。

8. 照片这东西不过是生命的碎壳；纷纷的岁月已过去，瓜子仁一粒粒咽了下去，滋味各人自己知道，留给大家看的唯有那狼藉的黑白的瓜子壳。

9. 笑全世界便与你同笑，哭你便独自哭。

10. 我们再也回不去了。

11. 我要你知道，在这个世界上总有一个人是等着你的，不管在什么时候，不管在什么地方，反正你知道，总有这么个人。

12. 娶了红玫瑰，久而久之，红玫瑰就变成了墙上的一抹蚊子血，白玫瑰还是“床前明月光”；娶了白玫瑰，白玫瑰就是衣服上的一粒饭粘子，红的还是心口上的一颗朱砂痣。

13. 我们都是寂寞惯了的人。

14. 对于三十岁以后的人来说，十年八年不过是指缝间的事。而对于年轻人而言，三年五年就可以是一生一世。

15. 你年轻么？不要紧，过两年就老了。

16. 无用的女人是最最厉害的女人。

17. 牵手是一个很伤感的过程，因为牵手过后是放手。

18. 普通人的一生，再好也是桃花扇，撞破了头，血溅到扇子上，就这上面略加点染成一枝桃花。

19. 人生恨事：（一）海棠无香；（二）鲥鱼多刺；（三）曹雪芹《红楼梦》残缺不全；（四）高鹗妄改死有余辜。

20. 小小的忧愁和困难可以养成严肃的人生观。

21. 感情这东西是很难处理的，不能往冰箱里一搁，就以为它可以保存若干时日，不会变质了。

22. 人类总是害怕自己未知的东西。

23. 记得绝望和希望，彼此厮杀。

24. 你永远不懂我伤悲，就像白天不懂夜的黑。

25. 我们生活的这个世界，大多数事情超出我们的理解之外。

26. 我是一朵不开花的花，尚未学会绽放，就已学会凋零。

27. 回忆这东西若是有气味的话，那就是樟脑的香，甜而稳妥，像记得分明的快乐，甜而怅惘，像忘却了的忧愁。

28. 人的一生中有大大小小的等待，人渐渐忘记了自己等待的是什么。

29. 在你面前我变得很低很低，低到尘埃里。但我的心里是喜欢的，从尘埃里开出花来。

30. 啊，出名要趁早呀，来得太晚，快乐也不那么痛快。个人即使等得及，时代是仓促的，已经在破坏中，还有更大的破坏要来。

31. 最讨厌是自以为有学问的女人和自以为生得漂亮的男人。

32. 能够爱一个人爱到问他拿零用钱的程度，都是严格的考验。

33. 一个人在恋爱时最能表现出天性中崇高的品质。这就是为什么爱情小说永远受人欢迎——不论古今中外都一样。

34. 很多女人因为心里不快乐，才浪费，是一种补偿作用。例如丈夫对她冷淡，就乱花钱。

35. 即使是家中珍藏的宝物，每过一阵也得拿出来，让别人赏玩品评，然后自己才会重新发现它的价值。

36. 但是，酒在肚子里，事在心里，中间总好像隔着一层，无论喝多少酒，都淹不到心上去。

37. 善良的人永远是受苦的，那忧苦的重担似乎是与生俱来的，因此只有忍耐。

38. 一个有爱情的家庭里面的孩子，无论生活如何的不安定，仍旧是富于自信心与同情——积极，进取，勇敢。

39. 人生最可爱就在那一撒手。

40. 很多我们以为一辈子都不会忘记的事情，就在我们念念不忘的日子里，被我们遗忘了。

41. 那些刻在椅子背后的爱情，会不会像水泥上的花朵，开出没有风的，寂寞的森林。

42. 有些事情还没讲完那就算了吧。

43. 那些以前说着永不分离的人，早已经散落在天涯了。

44. 原来和文字沾上边的孩子从来都是不快乐的，他们的快乐像贪玩的小孩，游荡到天光，游荡到天光却还不肯回来。

45. 你永远也看不到我最寂寞时候的样子，因为只有你不在我身边的时候，我才最寂寞。

46. 总有一天我会从你身边默默地走开，不带任何声响。

47. 我就像现在一样看着你微笑，沉默，得意，失落，于是我跟着你开心也跟着你难过，只是我一直站在现在而你却永远停留在过去。

48. 不是每一次努力都会有收获，但是，每一次收获都必须努力，这是一个不公平的不可逆转的命题。

49. 当你真正爱一样东西的时候你就会发现语言多么的脆弱和无力。文字与感觉永远有隔阂。

50. 遗忘是我们不可更改的宿命，所有的一切都像是没有对齐的图纸。从前的一切回不到过去，就这样慢慢延伸一点一点的错开来。也许错开了的东西，我们真的应该遗忘了。

51. 记忆像是倒在掌心的水，不论你摊开还是紧握，终究还是会从指缝中一滴一滴流淌干净。

52. 我回过头去看自己成长的道路，一天一天地观望，我站在路边上，双手插在风衣的兜里看到无数的人群从我身边面无表情地走过，偶尔有人停下来对我微笑，灿若桃花。我知道这些停留下来的人终究会成为我生命中的温暖，看到他们，我会想起不离不弃。

53. 有一天都会面目全非，时光没有教会我任何东西，却教会了我不要轻易去相信神话。

54. 风空空洞洞地吹过。一年又这么过去。而来年，还要这么过去。我不知道是安稳的背后隐藏着沮丧，还是沮丧里终归有安稳。只是我们，无法找到。

55. 一只野兽受了伤，它可以自己跑到一个山洞躲起来，然后自己舔舔伤口，自己坚持，可是一旦被嘘寒问暖，它就受不了。

56. 我一直喜欢下午的阳光，它让我相信这个世界任何事情都会有转机，相信命运的宽厚和美好。

57. 最可厌的人，如果你细加研究，结果总发现他不过是个可怜人。

58. 爱情本来并不复杂，来来去去不过三个字，不是“我爱你”“我恨你”，便是“算了吧”“你好吗”“对不起”。

59. 失望，有时候也是一种幸福，因为有所期待所以才会失望。因为有爱，才会有期待，所以纵使失望，也是一种幸福，虽然这种幸福有点痛。

60. 生于这世上，没有一样感情不是千疮百孔的。

61. 我爱你，为了你的幸福，我愿意放弃一切，包括你。

62. 听到一些事，明明不相干的，也会在心中拐好几个弯想到你。

63. 你死了，我的故事就结束了，而我死了，你的故事还长得很。

64. 世上最凄绝的距离是两个人本来距离很远，互不相识，忽然有一天，他们相识、相爱，距离变得很近。然后有一天，不再相爱了，本来很近的两个人，变得很远，甚至比以前更远。

65. 爱情使人忘记时间，时间也使人忘记爱情。

66. 孤单不是与生俱来，而是由你爱上一个人的那一刻开始。

67. 有些人注定是等待别人的，有些人是注定被人等待的。

68. 我以为爱情可以克服一切，谁知道它有时毫无力量。我以为爱情可以填满人生的遗憾，然而，制造更多遗憾的，却偏偏是爱情。阴晴圆缺，在一段爱情中不断重演。换一个人，都不会天色常蓝。

69. 爱情要完结的时候自会完结，到时候，你不想画上句号也不行。

70. 爱情，原来是含笑饮毒酒。

71. 爱一个人很难，放弃自己心爱的人更难。

72. 爱上一个人的时候，总会有点害怕，怕得到他，怕失掉他。

73. 你曾经不被人所爱，你才会珍惜将来那个爱你的人。

74. 每一个蝴蝶都是从前的一朵花的鬼魂，回来寻找它自己。

75. 一个承诺在最需要的时候没有兑现，那就是出卖，以后再兑现，已经没什么意思了。

76. 一个人最大的缺点不是自私、多情、野蛮、任性，而是偏执地爱一个不爱自己的人。

后　记

本书在出版的过程中，得到了李华伟、林中华、李华军、范高峰、林学华、张慧丹、林春姣、李雄杰、刘艳、李小美、林华亮、陈聪、曹阳、李伟、曹驰、庞欢、刘艳、张丽荣、李本国、林晓桂、李泽民、龚四国、周新发、林红姣、林望姣、李少雄等不少同仁的支持和帮助，在此特表示深切的谢意！